CYFRINACHAU
LLYNNOEDD ERYRI

CYFRINACHAU
LLYNNOEDD ERYRI

Geraint Thomas

Er cof am Dad
am fy nysgu i dynnu lluniau

Argraffiad cyntaf: 2011

© Hawlfraint Geraint Thomas a'r Lolfa Cyf., 2011

Dymuna'r cyhoeddwyr gydnabod cymorth ariannol
Cyngor Llyfrau Cymru

Lluniau: Geraint Thomas
Cynllun y clawr: Sion Ilar

Rhif Llyfr Rhyngwladol: 978 1 84771 373 5

FSC

Argraffwyd a chyhoeddwyd yng Nghymru gan
Y Lolfa Cyf., Talybont, Ceredigion SY24 5HE
gwefan www.ylolfa.com
e-bost ylolfa@ylolfa.com
ffôn 01970 832 304
ffacs 832 782

Cynnwys

Rhagair

Mae gan bob Parc Cenedlaethol ei nodweddion rhyfeddol ac unigryw, ac yma yn Eryri, yn ogystal â'n mynyddoedd enwog, mae ein llynnoedd yn denu sylw arbennig, a hynny am nifer o resymau. Ers canrifoedd bu daearegwyr a daearyddwyr yn astudio ffurf y dyffrynnoedd a'r cymoedd, ynghyd â'r llynnoedd sy'n eu llenwi, tra bod ymwelwyr yr oes hon yn mwynhau'r ystod o gyfleoedd pysgota a hamddena y mae'r dyfroedd yn eu cynnig.

I ni'r Cymry, mae enwau rhai o'n llynnoedd yn datgelu cyfoeth o hanes a threftadaeth y gallwn ei ddehongli, yn rhannol trwy'r hyn a ysgrifennwyd amdanynt ond y mae cyfran helaeth ohono hefyd ar gof y rhai sy'n rhan o'r tirlun hwn ac yn byw ac yn gweithio ynddo. Bellach mae'r Parc hefyd yn gyfrifol am y gwaith hanfodol o ddiogelu diwylliant Eryri ar gyfer y dyfodol, gan gynnwys y chwedloniaeth a'r fytholeg a gysylltir yn aml â dyfnderoedd ein llynnoedd a'n hafonydd. O Lyn Llydaw i Lyn Tegid, mae gan bob llyn ei stori, ac mae'r straeon bendigedig hyn yn amrywio o storïwr i storïwr.

Wrth i Awdurdod Parc Cenedlaethol Eryri ddathlu 60 mlynedd ers ei sefydlu, pleser yw cefnogi a hyrwyddo ymdrech arbennig a ffrwyth godidog llafur y ffotograffydd Geraint Thomas. Mae yma gorff o waith sydd yn portreadu Eryri ar ei gorau, gan gyfuno'r hen a'r newydd mewn llyfr sy'n gampwaith cyfoethog o ddelwedd a gair yn Gymraeg a Saesneg.

Caerwyn Roberts,
Cadeirydd Awdurdod Parc Cenedlaethol Eryri

Foreword

Every National Park possesses unique and wonderful features. Here in Snowdonia, in amongst our famous mountains, our lakes attract special attention for a number of reasons. For many centuries, geologists and geographers have been studying the forms of our valleys and cwms and the lakes that fill them, whilst today's visitors enjoy the range of water-based recreational opportunities on offer.

To the local population, the names of some of these lakes reveal a wealth of history and heritage that we can interpret, partially through what has been written about them, but much of which stays in the living memory of the people who live and work in this landscape. Preserving the culture of Snowdonia for future generations has become an intrinsic aspect of the Park's work, a culture which includes the legends and myths often associated with the depths of our lakes and rivers. From Llyn Llydaw to Llyn Tegid, each lake has its story and each storyteller has his own captivating way of telling those tales.

As the Snowdonia National Park Authority celebrates its 60th year, it is with great pleasure that we support and promote the tireless efforts of photographer Geraint Thomas and the striking fruits of his labour. This stunning collection portrays Snowdonia at its best, combining the old and the new, through words and images.

Caerwyn Roberts
Chairman, Snowdonia National Park Authority

Cyflwyniad

Hawdd ydy cymryd Eryri yn ganiataol. Wrth agor y llenni yn y bore, mae rhywun yn dweud yn ddidaro: "O, mae Moel Eilio yn edrych yn llwyd heddiw, diwrnod diflas arall" neu "Pam mae'r ffyrdd 'ma mor droellog pan fo rhywun ar gymaint o frys?" Wrth gwrs, dyma'r tirlun sydd yn gynefin i ni – tirlun sydd wedi helpu i'n llunio fel pobol dros y blynyddoedd ac ar hyd y cenedlaethau; tirlun sy'n ein hatgoffa o'n lle yn y byd; tirlun sy'n atgof parhaus bod yn rhaid i ni'r Cymry gadw ein traed ar y ddaear.

Wrth gwrs, y mynyddoedd ydy prif ganolbwynt y sylw, y mynyddoedd a enwodd bopeth o 'stadau tai i ysgolion a babis bach! Ond y llynnoedd a dynnodd fy sylw i. Wrth bori trwy fapiau un prynhawn gwlyb rhwng y 'Dolig a'r flwyddyn newydd yn 2009 fe aeth fy meddwl ar grwydr – pam mae 'na lyn yn agos at gopa'r Wyddfa o'r enw Llyn Nadroedd? Does bosib bod 'na nadroedd yn byw mor uchel! Ac wrth astudio'r enwau rhyfeddol (Ffynnon Llyffant – dyna un arall), sylweddoli bod rhai o'r enwau'n gyfarwydd ond bod y rhan fwyaf yn eithaf dieithr.

Y cam nesaf: rhaid oedd llunio rhestr i gyfri sawl llyn oedd yn Eryri. Tybed faint o'r rhain fedrwn i hawlio i mi eu gweld? Tybed faint ohonyn nhw oeddwn i, fel ffotograffydd, wedi tynnu eu lluniau? Y drwg efo rhestrau ydy fod un peth yn arwain at y llall, a chyn bo hir roedd yn rhaid dechrau rhoi ambell dic wrth yr enwau. Ac o dipyn i beth roeddwn wedi gwneud penderfyniad: i ymroi i'w cofnodi mewn cyfres o ffotograffau a geiriau. Gydag yn agos at 140 o lynnoedd ar y rhestr, dyma ddechrau ar antur a fu'n fodd i fyw am bron i ddwy flynedd… Antur llawn haul, gwynt a glaw; mewn goleuni gwahanol o doriad gwawr i fachlud haul; ar hyd mawndiroedd, corsydd a chreigiau, wrth i mi chwilio am y darnau duon o ddŵr sydd yn rhannau yr un mor bwysig o'n tirlun â'r mynyddoedd. Ac yn aml iawn, roedd cyrraedd y llynnoedd yn antur ac yn stori ynddi ei hun.

Tynnwyd rhai o'r lluniau o ongl wahanol, yn llythrennol – o'r awyr mewn meicroleit mewn sawl achos. Pam, meddech chi? Wel, fel arall, sut y byddai rhywun yn cael lluniau pump o lynnoedd mwyaf anghysbell gogledd y Parc Cenedlaethol – Llyn Glas a Llyn Bach o dan gopa'r Wyddfa, Llyn y Cŵn uwchben Cwm Idwal a Llyn Ffynnon Llyffant a Llyn Ffynnon Caseg ar y Carneddau? Roedd y profiad fel bod i fyny yn yr awyr mewn basged siopa ar foto-beic, ond roedd hi'n werth tawelu'r ofnau i gael ongl unigryw. Trwy lygad y camera ces bersbectif hollol wahanol ar ardal rwy'n ei hadnabod mor dda. Weithiau, eiliadau yn unig sydd gan ffotograffydd i ddal lliw arbennig. Coeliwch neu beidio, tynnwyd y ddau lun o Lyn Tegid (ar dud. 118 a 121) ar yr un noson, sy'n dangos mor sydyn mae golau'n newid. Ambell dro rwy wedi dewis cyflwyno'r annisgwyl, a hynny'n fwriadol e.e. trwy ddangos hagrwch Llyn Celyn, sydd yn fy nychymyg i yn adlewyrchiad teg o'r stori drist.

Mae'r prinder pobol yn y lluniau yn arwydd o ba mor anghysbell ydy rhai o'r llynnoedd a pha amser o'r dydd y'u tynnwyd. Tybed a fyddwch yn gallu gweld y tri dyn ar y tirlun a dynnais o lwybr Pen y Gwryd (tud. 64)?, roedd dau ddewr iawn ohonynt yn dringo llethr o rew efo bwyeill. Bu bron iawn i mi fynd i drafferthion fy hun wrth dynnu ambell lun e.e. pan ddechreuodd fy ngwraig, Meleri, gael poenau geni wrth ddisgwyl Cynyr a finnau i fyny fry ger Llyn Ffynnon y Gwas – heb signal ar fy ffôn symudol. Mae anafiadau o fath gwahanol yn dyst i pam mae'r goedwig a'r gors o gwmpas Llyn y Frân yn ffefryn wrth hyfforddi'r SAS!

Ddwy flynedd yn ddiweddarach, mae'r casgliad wedi ei gwblhau. Felly, dyma ni – y llynnoedd sydd wedi cyfrannu cymaint i'n bywydau dros y canrifoedd, gan adael cyfoeth o straeon gwerin sydd bellach wedi eu cofnodi rhwng dalennau'r gyfrol hon.

Geraint Thomas
Hydref 2011

1

Dyffryn Ogwen a'r Carneddau

Cwm Idwal

Llyn Anafon, Dulyn a Melynllyn

Gan ddechrau ar ein taith ar hyd holl lynnoedd Eryri, ble gwell i gychwyn nag yn y llyn mwyaf gogleddol ohonyn nhw i gyd – Llyn Anafon. Mae'n perthyn yn ddaearyddol i ardal dra wahanol i weddill llynnoedd Eryri, sef trefi arfordirol gogledd Cymru – Penmaenmawr, Llanfairfechan a Chonwy. Ehangwyd y llyn i gyflenwi dŵr i'r trefi hyn, ond deil heb fod yn ddwfn iawn – deg troedfedd ar ei ddyfnaf. Enw gwreiddiol Cwm Anafon oedd Nant Mawan, enw a aeth yn ddieithr dros amser. Roedd Mawan yn gymeriad hanesyddol lled chwedlonol ac mae sôn am Llemenig, mab Mawan, yng nghanu Llywarch Hen yng ngherddi Cynddylan. Roedd ceffyl Llemenig ap Mawan yn un o dri cheffyl gwedd Ynysoedd Prydain ac mae dau englyn yn canu clod iddo. Dros y canrifoedd newidiodd Llyn Mawan i Lyn Nan Mafon ac, yn ôl y sôn, i Lyn (N)Anafon.

Llyn Anafon

Er bod y tirlun yn foel a diarffordd erbyn hyn, mae olion anheddau cynhanesyddol i'w gweld heb fod ymhell o'r llyn, yn ogystal â dwy garreg naddu saethau ar y ffordd dros y bwlch.

Ychydig yn is i lawr y dyffryn, ger pentref Abergwyngregyn, mae un o safleoedd hanesyddol pwysicaf Cymru, Garth Celyn. Mae'n dyddio'n ôl i'r cyfnod Neolithig a barnu yn ôl y safle claddu sydd wedi ei ganfod yno. Er ei bod yn gaer o bwys yn ystod yr Oes Haearn ac amser y Rhufeiniaid, i gyfnod Tywysogion Cymru y perthyn Garth Celyn. Fe'i lleolwyd ar safle amddiffynnol cadarn, ac roedd o hanfodol bwys wrth warchod llwybrau arfordirol Cymru. Roedd y prif groesfan i Ynys Môn yn cychwyn ar Draeth Lafan gerllaw. Datblygodd Llywelyn ap Iorwerth y safle gan godi tŷ hir a thŵr yn ogystal â chapel. Roedd Llywelyn, wrth gwrs, yn briod â Siwan, merch y brenin John o Loegr, ond daeth pethau i ben rhyngddynt ar ôl i Llywelyn ddal Siwan yn y gwely gyda William de Braose (Gwilym Brewys), tirfeddiannwr pwerus o dros y ffin ac arglwydd Normanaidd o Frycheiniog. Crogodd Llywelyn de Braose yn y gors o flaen y tŷ, llecyn a elwir yn Gwern y Grog. Rhoddodd Siwan enedigaeth i Elen ond bu farw yn 1237 a Llywelyn yn 1240. Bu Dafydd, mab Llywelyn, yn Dywysog Cymru am gyfnod byr cyn cael ei olynu gan Llywelyn ein Llyw Olaf yn 1246. Priododd Llywelyn ag Eleanor, merch Simon de Montford, ond bu hi farw wrth eni Gwenllian yng Ngarth Celyn. Yn fuan wedyn lladdwyd Llywelyn yng Nghilmeri a charcharwyd Gwenllian yn lleiandy Sempringham yn Swydd Lincoln am weddill ei hoes. Mae tŵr Llywelyn yng Ngarth Celyn yn dal i sefyll.

Mae llyn dwfn Dulyn yn nythu fry yn y Carneddau yng nghysgod Carnedd Gwenllian. Ailenwyd y garnedd ym Medi 2009 yn dilyn ymgyrch gan Gymdeithas Gwenllian i sicrhau bod tywysoges olaf Cymru yn cael ei chofio yn yr un ffordd â Dafydd a Llywelyn mewn carneddau cyfagos ac Elen a enwyd ar ôl ei mam. Gweithred symbolaidd oedd ailenwi'r copa, nid yn unig i atgyfnerthu cof cenedl am y dywysoges ond i'w dychwelyd adref o Sempringham ac at ei mam, ei thad a'i hewythr.

Mae dyfnder Dulyn yn chwedlonol ac mae ei leoliad dramatig yn creu awyrgylch arbennig ag yntau'n fynwent i ugain o awyrennau y daeth eu teithiau i ddiwedd disymwth oherwydd y creigiau serth. Mae pysgod Dulyn, yn ôl y sôn, yn hynod o hyll a chanddynt bennau mawrion a chyrff tenau, bychain. Un pysgodyn sy'n sicr yn byw yn y llyn yw'r torgoch. Cawn fwy o hanes y pysgodyn hynod hwn wrth drafod llynnoedd Padarn, Peris a Cwellyn yn ogystal ag ambell lyn bychan arall. Preswyliwr cymharol newydd i'r llyn ydy'r torgoch ac fe'i cyflwynwyd i sicrhau dyfodol y rhywogaeth brin hon o bysgod sy'n unigryw i Eryri.

Fel y gwelwn o bryd i'w gilydd mae yna straeon gwerin sy'n cael eu hailadrodd o ardal i ardal ac mae'r stori sy'n gysylltiedig â Dulyn yn un o'r rheiny. Roedd y graig olaf sy'n perthyn i'r sarn o greigiau sy'n arwain i'r llyn yn cael ei galw'n Allor Goch (er nad oes golwg o'r sarn na'r allor ers cronni dŵr y llyn gan argae). Pe llwyddai rhywun i sefyll ar yr allor goch drwy'r nos, y mae'n debyg y gallai rag-weld pwy fyddai'n marw o fewn y flwyddyn. Byddai'n rhaid gwneud hyn ar un o dri diwrnod o fewn y flwyddyn – Calan Mai, Hirddydd Haf neu Galan Gaeaf. Coel arall a roddwyd i'r Allor Goch oedd y gred pe bai dŵr yn cael ei dasgu ar y garreg ar ddiwrnod tesog y byddai'n bwrw glaw cyn y nos.

Bron drws nesaf i Ddulyn mae llyn tebyg Melynllyn yn cuddio yng nghysgod craig serth. Mae'n llawer basach na Dulyn ond cronfa ddŵr ydy Melynllyn hefyd, yn cyflenwi tref Llandudno.

Mae'r graig i'r de o'r llyn yn unffurf o ddarnau mân iawn o gwarts ac oherwydd ei natur darganfuwyd ei bod yn garreg hogi arbennig o dda. Yn ystod Oes Fictoria, roedd y garreg yn cael ei chloddio ar raddfa ddiwydiannol ymhell i ddauddegau'r ugeinfed ganrif ac mae olion y chwarel i'w gweld o hyd. Roedd y garreg yn cael ei marchnata fel *Yellow Lake Honing Stone* ac roedd yn enwog trwy'r byd fel carreg hogi llafn rasal. Mae arbenigwyr yn y maes hwnnw yn dal i ystyried y garreg fel un arbennig ac, o bryd i'w gilydd, mae enghreifftiau yn cael eu defnyddio a'u gwerthu am arian mawr. Un o olion hynotaf yr hen chwarel yw'r olwyn fawr sydd wedi ei hanner claddu mewn rwbel wrth y llyn, bron i ganrif ers iddi droi am y tro olaf. Mae olion chwarel lechi i'w gweld i'r gogledd o'r llyn ond prin iawn yw'r llechi a gloddiwyd ar y safle ac mae'r chwarel gryn bellter i ffwrdd o'r prif haen o lechi Cambraidd i'r de-orllewin.

Fe ddaeth ffermwr lleol o hyd i gleddyf ar lethrau Carnedd

Dulyn

Llywelyn a oedd yn dyddio'n ôl i'r Oes Efydd. Y gred yw i'r cleddyf gael ei daflu dros glogwyn fel rhan o ddefod gynhanesyddol ac yna iddo orwedd ynghudd am bron i bedair mil o flynyddoedd nes i Rowland Jones o fferm Tan Llyn Eigiau ei ganfod ar ddechrau'r ugeinfed ganrif. Fe ganfuwyd ail gleddyf ar y garnedd yn 1933 a oedd yn dyddio'n ôl i gyfnod y Rhufeiniaid. Mae'r cleddyf bellach yn cael ei arddangos yn yr Amgueddfa Genedlaethol yng Nghaerdydd.

Melynllyn

Llyn Anafon is a shallow lake which provides water to the coastal towns and villages of the North. The area's history can be traced back centuries, the lake itself being cited in poetry dating back 1,400 years. Further down the valley, Garth Celyn near Abergwyngregyn is one of the most important sites in Welsh history, its main contribution coming in the age of the true Princes of Wales. Llywelyn Fawr (the Great) developed the site and its location on a promontory was at a vital strategic point. Llywelyn executed a landowner called William de Braose here for sleeping with his wife, Siwan (Joan), daughter of King John of England. Llywelyn Fawr's grandson, Llywelyn ein Llyw Olaf (the Last), was the last ruler of Wales before the English conquest. His wife Elen (Eleanor) died whilst giving birth to Gwenllian shortly before Llywelyn was murdered by the English near Builth Wells. Although she was only a few months old at the time, Gwenllian was imprisoned for the rest of her life in a priory at Sempringham, Lincolnshire.

Dulyn fills a great void beneath the sheer cliffs leading to Carnedd Gwenllian. Recently renamed following a campaign by the Gwenllian Society, Gwenllian is the most recent of the Welsh Royal Household to be honoured by the peaks of the Carneddau. She joins her mother (Elen), father (Llywelyn) and uncle (Dafydd). The torgoch is a rare Arctic red-bellied char that we will come across elsewhere in this book and was introduced to the lake as an insurance policy against extinction. According to folklore there are also large-headed, thin bodied trout in the lake. As legend goes, any person who stands all night on the causeway's Red Altar will be able to foresee who will die within the year and if water is splashed on the stone on a balmy summer's day, rain will fall before sunset.

Similar to Dulyn but much shallower, Melynllyn provides water to the Llandudno area. The rock that is found to the south of the lake is a fine stone containing minute quartz deposits. This rock was once famous as a honing stone and was at one time mined on an industrial scale. Marketed as 'Yellow Lake Honing Stone' it became famous worldwide for honing razor blades. Two swords are linked to the area – a Bronze Age sword found on the Carneddau in the 1910s and a Roman sword found nearby in 1933, the latter now displayed at the National Museum in Cardiff.

Ffynnon Caseg a Ffynnon Llyffant

O'r 132 o lynnoedd a ddisgrifir yn y llyfr hwn, does yr un mewn rhan mor anghysbell o Eryri â Ffynnon Caseg. Mae Cwm Caseg yn ymestyn o gyfeiriad Bethesda i'r Carneddau ac yn troi fel pedol fel bod y llyn, sydd ym mhen pella'r cwm, bron rownd y gornel. Gellir cael golwg dda o'r llyn o gopaon y Carneddau, ond mae ei gyrraedd ar hyd llawr y dyffryn yn golygu siwrnai hir ac unig ar droed. Mae'n gwm cysgodol, wedi ei gau gan glogwyni ar dair ochr, a bu'n gornel glyd i ferlod mynydd gwyllt y Carneddau ymochel a bwrw'u hebolion; dyma, felly, darddiad enw'r cwm a'r llyn. Mae stori arall bosib yn hanu o gyfnod Llywelyn Fawr. Dywedir bod Llywelyn yn poeni bod cynifer o'i bendefigion wedi troi i gefnogi brenin Lloegr; felly, gorchmynnodd i'w ddeiliaid dros y ffin yrru anifeiliaid i Eryri i brofi eu teyrngarwch gan groesi afon Conwy i'r Carneddau. Fe enwyd nifer o leoedd ar eu holau – Pant y March, Tros y Ceffyl, Pant yr Ychain, Cwm Moch, Foel Feirch, Foty'r Cesyg a Chwm Caseg. Mae rhan helaeth o'r Carneddau yn dir comin ac yn gartref i filoedd o greaduriaid ac mae hawl i gadw 45,000 o ddefaid ar y mynyddoedd a 741 o ferlod mynydd.

Mae'r tirlun yng Nghwm Caseg yn foel a mawnog, fel yn wir y mae'r Carneddau i gyd. Tirlun anial ydyw, nad yw'n dangos fawr o ôl newid ers canrifoedd a hynny er bod hanes pobol dros filoedd o flynyddoedd yn cael ei grynhoi yn y tirlun. Gellir gweld olion cloddfeydd, ceiri a thai crynion o gyfnod yr Oesoedd Haearn ac Efydd, yn ogystal â'r cloddiau cerrig sydd mor nodweddiadol o Eryri ac sy'n dyddio'n ôl i'r Canol Oesoedd, sef tua'r un cyfnod ag y codwyd nifer o ffermdai'r ardal (er y gwnaed gwelliannau i'r rhan fwyaf ohonynt dros y canrifoedd). Mae'r carneddau cerrig sydd ar ben y mynyddoedd o'r un enw'n dyddio'n ôl i'r cyfnod cyn hanes ac yn cynnwys olion amlosgedig unigolion o bwys. Roedd amlosgi cyrff y meirwon yn hynod o gyffredin yn yr Oes Efydd, ond daeth claddu cyrff yn fwy cyffredin yn ystod yr Oes Haearn. Mae olion y dulliau defodol hyn i'w gweld yn y tirlun o hyd.

Ffynnon Llyffant ydy llyn uchaf Eryri, dros 2,700 o droedfeddi i fyny Carnedd Llywelyn, ond mewn gwirionedd nid yw'n fawr mwy na phwll. Dyma un o fy hoff enwau ar lynnoedd Eryri (yn ogystal

Ffynnon Caseg

â Llyn Nadroedd ym mhennod 3) – enwau difyr, gwahanol i'r rhai disgrifiadol o'r tirlun arferol.

Mae'r copaon wedi eu henwi ar ôl Tywysogion Cymru, fel y dywedwyd, ond bu cryn frwydro ar lethrau'r Carneddau ymhell cyn eu cyfnod hwy, sef cyfnod y Brythoniaid a'r Rhufeiniaid.

Yn ôl y sôn, y Brythoniaid oedd yn fuddugol er gwaethaf ffigwr lled chwedlonol a lled hanesyddol o'r enw Arfiragws (dehongliad y Rhufeiniaid o'i enw). Brython oedd Arfiragws ac roedd yn bennaeth ei lwyth. Bu cryn ffraeo rhyngddo a'r derwyddon oedd yn rheoli, yn enwedig yn Ynys Môn, a throdd ei gefn arnyn nhw. Priododd i deulu stad Cochwillan a llwyddodd i arwain byddin o Rufeiniaid dros y Carneddau. Bu llawer o dywallt gwaed ar ochr orllewinol y mynyddoedd pan drechwyd y Rhufeiniaid. Mae llawer o amrywiaethau ar y stori hon wedi eu hadrodd dros y canrifoedd ac mae cymeriad Arfiragws yn ymddangos mewn sawl gwedd gan gynnwys yn nrama Shakespeare, *Cymbeline*.

Mae meini anferth Carnedd Llywelyn yn rhan o chwedloniaeth yr ardal. Yn ôl y sôn, symudodd Meini Gwynedd o'r llyn i'w lleoliad yn uchel i fyny'r llethrau yn 1542 a hynny ar eu pennau eu hunain. Fe greodd y stori gryn gynnwrf ar y pryd ac roedd yn ddigon i'r brenin – Harri VIII – yrru un o'i wyddonwyr yno. Yn dilyn ei ymchwil, daeth i'r casgliad bod y stori'n hollol wir!

Un elfen gyffredin i lynnoedd ucheldir Eryri ydy olion damweiniau awyr. Ar y Carneddau'n unig bu dros 25 o ddamweiniau wrth i awyrennau daro yn erbyn y mynyddoedd. Mae llawer o'r olion i'w gweld o hyd er i nifer gael eu clirio yn ystod y blynyddoedd diweddar. Gwnaed hynny er mwyn tacluso'r tirlun mewn rhai achosion ond mae nifer o'r olion wedi eu cludo ymaith i gasgliadau preifat neu fel sgrap. Rhaid cofio bod y safleoedd hyn yn cael eu hystyried yn feddau rhyfel swyddogol. Gwelir olion yn Ffynnon Llyffant ar ôl i awyren Canberra daro yn erbyn craig ger y llyn ar y 9fed o Ragfyr 1957. Lladdwyd y ddau oedd ar ei bwrdd.

Of all the lakes in this book none are as remote as Ffynnon Caseg where the wild mountain mares go to foal, away from the open landscape of the Carneddau. According to legend, the Carneddau range is strongly linked to animals of all kinds because Llywelyn the Great tested the allegiance of his landowners on the Marches by demanding an animal from each one. Place-names record all the mares, horses, oxen and pigs that crossed the river Conwy to the Carneddau on their journey west.

Ffynnon Llyffant

The small pool of Ffynnon Llyffant is the highest in the National Park and has one of the strangest names – Frog Lake in Welsh. The Carneddau are remote and inhospitable at the best of times, but have played a part in history over the years. The semi-historic figure of Arviragus turned his back on his native Brythonic tribe to lead an army of Roman soldiers over the mountain range with the intention of defeating the Druids of Anglesey but, after crossing to the western edges of Snowdonia, they were quashed and sent home. Arviragus is a character that pops up everywhere, even in Arthurian legend and Shakespeare's *Cymbeline*. Of all the aircraft wrecks on the Carneddau, one lies in and around the lake, that of a Canberra Bomber that crashed in 1957 killing both pilot and navigator.

Llyn Ogwen

Mae Llyn Ogwen mewn un o'r lleoliadau prydferthaf yng Nghymru. Gorwedda ar ran uchaf Dyffryn Ogwen a marian o gerrig sy'n ei ddal yn ei le rhag dyfnderoedd Nant Ffrancon islaw. Oddi tano, mae Rhaeadr Ogwen yn llifo i lawr y llethrau i'r gwastadeddau. Mae'r llyn bron ar groesffordd, sef ar y llwybrau sy'n cysylltu dwy o systemau mynyddoedd mwyaf Eryri â'r llwybr llawr dyffryn sy'n dilyn llwybr lôn bost yr A5. Mae Llyn Ogwen yn un o'r llynnoedd basaf yng Nghymru, dim ond chwe throedfedd o ddyfnder ar gyfartaledd. Mae cerrig a silt o'r afonydd a'r dyffrynnoedd cyfagos wedi ymgasglu ar ei waelod dros filoedd o flynyddoedd ond bydd hi ganrifoedd eto cyn y cawn gerdded ar hyd y llyn oherwydd codwyd lefel y dŵr ar ddechrau'r ugeinfed ganrif er mwyn cyflenwi chwarel y Penrhyn islaw.

Ar ôl i'r A5 ymlwybro heibio i'r llyn tua'r gorllewin mae'n croesi afon Ogwen gan lynu at lethrau gogleddol Nant Ffrancon. Yr ochr arall i'r dyffryn rhed ffordd arall fwy cyntefig. Codwyd y ffordd hon, sydd ar hen lwybr Rhufeinig, gan berchennog chwarel y Penrhyn, yr Arglwydd Penrhyn, er mwyn creu llwybr tua'r gorllewin fyddai'n osgoi tref Conwy. Roedd hyn yn bennaf er mwyn dial ar bobol Conwy am iddynt bleidleisio yn ei erbyn mewn etholiad Seneddol. Tyngodd Arglwydd Penrhyn y byddai'n peri i wair dyfu ar strydoedd Conwy am y byddent mor dawel yn dilyn codi ei ffordd newydd. Yn wir roedd y llwybr newydd yn cynnig ffordd dipyn mwy diogel na thramwyo heibio i benrhynnau Penmaenbach a Phenmaenmawr ar yr arfordir.

Yn anarferol, mae terfynau sirol yn golygu fod y llyn yn gorwedd o fewn ffiniau Gwynedd, tra bod y tir o amgylch i gyd (ar wahân i'r afon sy'n arwain o'r llyn) yn rhan o Sir Conwy.

Mae'r Brenin Arthur a'i straeon yn ymddangos yn rheolaidd yn chwedlau llynnoedd Eryri ac mae Llyn Ogwen yn rhan o'r stori gan mai yma y tybir y daeth ei gleddyf Caledfwlch i orffwys.

Yn ôl y sôn mae ysbryd yn perthyn i ben uchaf Llyn Ogwen. Ar nosweithiau golau lleuad, mewn llecyn o'r enw Buarth Bwgan, clywir carlamu ar draws y llyn ac ambell besychiad. Ysbryd hen borthmon ydyw, yn ôl y sôn, a oedd yn teithio heibio'r llyn ar ei ffordd yn ôl o werthu anifeiliaid yn Lloegr. Ymosododd dau ddyn arno am ei arian a'i ladd gan ddianc dros Fwlch Tryfan ac i lawr i Ben y Gwryd.

Roedd gan Buddug (Boadicea) wersyll ar ochr ddeheuol y llyn, yn ôl y stori, lle y treuliodd gryn dipyn o amser yn difyrru gwesteion yn dilyn brwydrau yn erbyn y Rhufeiniaid.

Daw ambell chwedl yn eithaf cyfarwydd wrth gael eu hailbobi o'r newydd yng nghyd-destun sawl llyn. Mae'r chwedl am y bugail yn canfod trysor mewn ogof yn ymddangos dro ar ôl tro. Yma mae'r bugail yn canfod digon o drysor i lenwi ogof ac oherwydd pwysau'r llestri aur mae'n eu gadael gan guddio genau'r ogof cyn mynd. Er mwyn canfod ceg yr ogof yn y bore mae'n naddu ei ffon fugail yn sglodion mân a gollwng y rheiny'n llwybr i ddangos y ffordd adref. Ond erbyn y bore mae'r sglodion wedi diflannu, gwaith y tylwyth teg yn ôl pob tebyg.

Bellach mae glannau'r llyn yn gyrchfan i ddringwyr a cherddwyr lu ar y penwythnosau oherwydd ei leoliad canolog.

As one of the most popular lakes in Snowdonia, and one of the shallowest for its size, it often freezes over in winter. It's positioned on a crossroads between the main road route through the mountain range and the walking routes up the Glyderau massif and Carneddau range to the south. The road was improved and mostly developed by Thomas Telford as the main postal route connecting London to Holyhead and therefore Dublin. It was first developed as a turnpike road by Lord Penrhyn of Penrhyn Castle in a spiteful revenge against the people of Conwy after they had voted against him in a General Election. He warned that trade in the town would die now that a direct route through the mountains existed between north west Wales and Ireland, avoiding the perilous Penmaenbach and Penmaenmawr headlands. Although some trade was diverted, Lord Penrhyn's warning that the 'grass would grow on the streets of Conwy' never materialised.

Llyn Ogwen

Llyn Idwal

Llyn Idwal a Llyn Bochlwyd

Yng nghrochan y Twll Du, mae Llyn Idwal yn un o lynnoedd mwyaf poblogaidd Eryri mewn lleoliad gwefreiddiol gyda chreigiau unionsyth yn codi ar dair ochr iddo. Ar yr ochr ogleddol mae pyramid Pen yr Ole Wen yn gymesur, fel petai'n gwarchod y porth i'r cwm. Mae llawer wedi disgyn mewn cariad â'r cwm, a chyda'i leoliad canolog i rai o gopaon mwyaf poblogaidd yr ardal (Tryfan, Glyder Fach, Glyder Fawr a'r Garn), mae'n aml yn fwrlwm o weithgareddau awyr agored. Mae'n enghraifft berffaith o gwm rhewlifol crog ac yn union fel Nant Ffrancon islaw mae'n un o'r esiamplau clasurol a geir yn y llyfrau daearyddiaeth.

Cafodd y llyn ei enwi ar ôl un o feibion Owain Gwynedd a gafodd ei foddi yno gan ei dad maeth, Nefydd Hardd o Nant Conwy. Rhoddodd Nefydd y tir i godi hen eglwys Llanrwst i unioni'r cam ond, yn ôl traddodiad, ni welir yr un aderyn yn hedfan dros Lyn Idwal hyd heddiw.

Mae glannau Llyn Idwal yn unigryw oherwydd yr amrywiaeth o blanhigion Arctig sy'n tyfu yno – gludlys digoes, tormeini a lili'r Wyddfa, planhigyn sy'n unigryw i'r Wyddfa a'i chriw. Daeth Charles Darwin i'r cwm am y tro cyntaf yn 1831 i astudio'r ffurfiau bychain ymhlith y creigiau, planhigion a chreaduriaid yn bennaf. Yn ystod ei ail ymweliad, ddegawd yn ddiweddarach, sylweddolodd fod y tirlun wedi ei naddu gan rew ac nad oedd y rhew wedi cilio tan yn gymharol ddiweddar yn nhermau daearegol.

Llyn bychan ydy Llyn Bochlwyd ac mae'n gorwedd ar ochr ddeheuol Dyffryn Ogwen ac yn perthyn i fynyddoedd y Glyderau yn hytrach na'r Carneddau. Mae gwahaniaeth pendant yn y tirlun. Mae'r tir yn llai gwelltog, yn sicr, ond mae llyfnder y Carneddau yn wahanol iawn i'r creigiau garw hyn. Dŵr wedi cronni mewn pant go helaeth yn uchel yn y mynyddoedd yw Llyn Bochlwyd. Llyn crog ydy'r term technegol. Golyga fod y cwm sy'n galluogi'r llyn i fodoli wedi ei greu gan rewlif bychan yn uchel ar y llethrau, yn wahanol i'r llynnoedd llawr dyffryn bas sydd wedi cronni ar ôl i'r prif rewlifau grafu llawr y dyffryn yn wastad. Mae'r ardal hon yn hollol nodweddiadol o dirlun rhewlifol, gyda llynnoedd Bochlwyd ac Idwal yn llynnoedd crog a Llyn Ogwen yn llyn llawr dyffryn.

Llyn Bochlwyd

Islaw mae dyffryn Nant Ffrancon yn enghraifft berffaith o ddyffryn rhewlifol ar ffurf U bedol. Mae Llyn Bochlwyd wedi difyrru llawer o'r cerddwyr ar lethrau Tryfan uwchlaw gan ei fod yn union yr un siâp ag Awstralia.

Mae'r niwl sy'n codi o bryd i'w gilydd ger wal uchel y Twll Du wedi sbarduno sawl chwedl. Yn ôl y sôn, cafodd y bluen o niwl ei chreu yn wreiddiol gan Dderwyddon Ynys Môn tua dwy fil o flynyddoedd yn ôl pan oedd yr ardal o dan fygythiad gan y Rhufeiniaid. Tra oedd byddin y Rhufeiniaid yn teithio ar draws y Glyderau, llwyddodd y Derwyddon i greu cwmwl o niwl i orchuddio'r gelyn trwy hollti'r graig uwchlaw'r llyn. Roedd hyn yn ddigon i'r Rhufeiniaid golli eu ffordd gan atal y bygythiad am y tro. Mae'r un chwedl yn aml yn cael ei haddasu i gyfnod Iorwerth I dros fil o flynyddoedd yn ddiweddarach a bygythiad arall o'r dwyrain.

Fel y gwelwyd ychydig ynghynt wrth drafod Melynllyn roedd yr ardal hon yn cynnwys creigiau a oedd yn berffaith ar gyfer hogi arfau o bob math. Roedd chwarel fechan ar y llethrau heb fod ymhell o Lyn Bochlwyd ac roedd Bwthyn Idwal ger yr A5 yn wreiddiol yn gartref i reolwr y chwarel. Cerrig olew ar gyfer hogi oedd yn cael eu cynhyrchu, ar gyfer hogi llafnau eillio yn bennaf.

Llyn Idwal, located at Twll Du, is the most popular of all the Sunday afternoon strolling destinations in Snowdonia and was voted 7th on the *Radio Times*'s list of the Natural Wonders of Britain. It was named after Idwal, one of Owain Gwynedd's sons, who was murdered by Nefydd Hardd from Nant Conwy. To make up for his evils, Nefydd donated the land where Llanrwst church now stands. According to tradition, birds never fly over the lake out of respect for Idwal. On his second visit to Cwm Idwal in the early 1840s, Charles Darwin realised that the whole landscape was formed by ice and that the glaciations of the landscape was a relatively recent occurance.

The textbook glacial landscape of the area extends to Llyn Bochlwyd, a classic hanging valley lake high above the glacially formed expanse of the Ogwen Valley and Nant Ffrancon below. The lake itself is somehow shaped to look like the outline of Australia when viewed from above. According to legend, the white plume of mist rising from Twll Du above the lake was originally created by

the Druids of Anglesey to engulf the Roman army invading from the east and marching across the Glyderau. A variation on the same legend attributes the same achievement to Edward I's invasion over a millennium later. The remains of a hone stone quarry can be found nearby and, as in Melynllyn, top quality oilstones were carved from the mountainside mostly to hone razor blades.

Ffynnon Lloer a Ffynnon Llugwy

Down yn ôl at hanes tywysogion Cymru unwaith eto. Mae tarddiad yr enw Ffrancon, o ddyffryn Nant Ffrancon islaw, yn dod o'r term 'Ffranciaid' yn ôl y sôn, sef milwyr a oedd yn cael eu cyflogi i ymladd gan dywysogion Cymru. Mae peth amheuaeth am y ddamcaniaeth hon, fodd bynnag.

Mae llwybr poblogaidd yn codi o Ffynnon Lloer i gopa Pen yr Ole Wen. Dyma'r mynydd mwyaf deheuol o blith y Carneddau a bu cryn ddyfalu beth oedd tarddiad yr enw. Roedd y cyfeiriad at 'Ole' yn gamarweiniol. Nid 'goleuni' ydy'r ystyr ond 'goleddf' neu lethr, yn ôl Hywel Wyn Owen o Brifysgol Bangor. O wybod hyn mae'r enw'n gwneud llawer mwy o synnwyr! Pen arall go enwog ydy Pen Llithrig y Wrach gerllaw ac mae'r enw hynod yn cyfeirio at siâp y mynydd, sy'n debyg i het gwrach (ac mae'n debyg fod y llethrau'n llithrig!). Oherwydd ei siâp yr enwyd y copa nesaf ato hefyd, sef Pen yr Helgi Du.

Mae'r ardal hon yn hynod o boblogaidd ymhlith cerddwyr ac mae'r rhan fwyaf o'r Carneddau yn rhan o bortffolio'r Ymddiriedolaeth Genedlaethol. Trosglwyddwyd yr eiddo o ofal Stad y Penrhyn yn 1951 i setlo treth marwolaeth. Mae 7,036 hectar o'r Carneddau yn eiddo i'r Ymddiriedolaeth erbyn hyn.

Un arall o lynnoedd uchel y Carneddau ydy Ffynnon Llugwy a dyma brif gronfa ddŵr ardal Bangor a dwyrain Ynys Môn a hynny ers canol y 1970au pan ddatblygwyd Marchlyn Mawr fel rhan o ddatblygiad trydan-dŵr Dinorwig (gweler pennod 2). Rhaid oedd gosod dros 11 milltir o bibellau newydd i gludo'r dŵr i lawr Dyffryn Ogwen i'r gweithfeydd trin dŵr ym Mynydd Llandegai, ond tasg gymharol hawdd oedd hon o'i chymharu â'r prif waith o godi'r pwerdy.

Ffynnon Lloer

Defnyddiwyd Dyffryn Ogwen islaw'r llyn fel lleoliad ar gyfer sawl ffilm. Dyma un o leoliadau'r bwlch Khyber yn *Carry on Up the Khyber* ac mae'n troi'n fynyddoedd yr Himalaya yn *Doctor Who* a *The Abominable Snowman*.

This area's place-names, like many in Wales, are an etymologist's dream. Nant Ffrancon below is thought to refer to the home of a 'Ffranciaid', a medieval hired soldier brought in to fight in the wars against the English. The 'Ole' in Pen yr Ole Wen is not 'golau' (light) but 'goleddf' (a slope). Most of the Carneddau, over 7,000 ha, are now owned by the National Trust.

Ffynnon Llugwy reservoir provides water to the Bangor area since the 1970s when the supply from Marchlyn Mawr ceased due to construction of the Dinorwig pumped-storage hydro-electric plant. Scenes for *Carry on Up the Khyber*, *Doctor Who* and *The Abominable Snowman* were shot in the valley below.

Ffynnon Llugwy

Llyn Padarn

2
Dyffryn Peris a'r Glyderau

Llyn Peris

O holl lynnoedd llawr dyffryn Eryri, Llyn Peris ydy'r un sydd wedi newid fwyaf dros y blynyddoedd ac mae'r gyferbyniaeth â Llyn Padarn yn drawiadol. Mae olion rhewlifol Nant Peris yn enghreifftiau perffaith o Oes yr Iâ ac mae Castell Dolbadarn yn codi ar graig naturiol ger y llyn. Er hyn, mae'r llyn ei hun wedi newid yn gyfan gwbl oherwydd gwerth y graig sy'n codi i'r gogledd. Dyma safle Chwarel Dinorwig. Mae olion cloddio am gopr wedi creithio ochr ddeheuol y dyffryn a chafodd y diwydiant hwn gryn effaith ar y llyn gan fod y dyfroedd yn llwybr naturiol i gludo mwyn ac ati i lawr y dyffryn. Bu'r gwastraff yn gyfrifol am wenwyno rhywfaint ar y dŵr pan oedd y mwyngloddiau mewn bri. Ond nid yw effaith y gweithfeydd copr yn ddim byd o'i gymharu ag effaith y diwydiant llechi ar yr ardal.

Ar un adeg, Chwarel Dinorwig oedd yr ail chwarel lechi fwyaf yn y byd ar ôl Chwarel y Penrhyn ym Methesda. Yng nghyfnod ei bri, ar ddiwedd y bedwaredd ganrif ar bymtheg, cynhyrchai dros 100,000 o dunelli o lechi to bob blwyddyn. Mae'r safle'n enfawr ac wedi trawsnewid dros 700 erw o lethrau Elidir Fawr, gyda thros ugain 'poncen' o gloddio yn codi fel grisiau cawr i ben y mynydd am dros fil o droedfeddi. Fe gaeodd y chwarel yn 1969 mewn cyfnod lle bu cryn edwino ar y diwydiant ers dechrau'r ganrif.

Mae'r chwarel a'r llyn bellach yn rhan anatod o orsaf bŵer Dinorwig. Llyn Peris ydy'r isaf o'r ddau lyn sy'n rhan o'r system bwmpio (Marchlyn Mawr ydy'r llall ar lethrau Elidir Fawr). Mae dŵr yn cael ei bwmpio i fyny i Farchlyn Mawr yn ystod cyfnodau tawel o alw am drydan (fel ganol nos) pan mae'r cwmni'n prynu trydan rhad. Yna mae'r dŵr yn cael ei ollwng i lawr yn ystod oriau brig, gan droi'r tyrbinau, a'r trydan a gynhyrchir yn cael ei werthu am bris llawer uwch. Dechreuwyd ar y gwaith o godi'r orsaf yn 1974 ar gost o £425 miliwn. Cloddiwyd 16km o dwneli a defnyddiwyd miliwn tunnell o goncrid i'w chwblhau. Gall yr orsaf gynhyrchu 1,800MW o drydan o fewn saith eiliad o ollwng y dŵr o Farchlyn Mawr.

Rhaid oedd trawsnewid Llyn Peris wrth godi'r orsaf gan

Llyn Peris

ddargyfeirio afonydd lleol o amgylch y llyn i osgoi llifogydd wrth i'r llyn lenwi'n sydyn. Cafodd ei ddyfnhau hefyd fel ei fod yn dal mwy o ddŵr. Rhaid oedd symud yr holl bysgod torgoch i lynnoedd Dulyn, Melynllyn, Ffynnon Llugwy a Cowlyd ond, gydag amser, daeth y torgoch yn ôl unwaith eto i fyw yn nyfroedd byrlymus y llyn.

Gerllaw'r llyn, wrth droed Chwarel Dinorwig yng Ngilfach Ddu, mae llawer o'r dreftadaeth ddiwydiannol wedi ei chadw yn Amgueddfa Lechi Cymru ac yno mae'r olwyn ddŵr fwyaf ar dir mawr Prydain. Mae hi'n 15.4 metr ar draws ac ar un adeg roedd hi'n cyflenwi'r holl bŵer ar gyfer peiriannau melin y chwarel.

Ers talwm, pan fyddai'r chwarelwyr adref yn cysgu yn eu gwelyau wedi diwrnod caled o waith, gellid clywed sŵn tincial ar hyd Llyn Peris. Yn ôl y sôn, y corachod oedd yn dewis cerrig er mwyn codi plastai i'r tylwyth teg. Mae'r llai rhamantus yn ein plith yn tybio mai sŵn llechi'n setlo yn y tomenni llechi oedd y tincial mewn gwirionedd.

Of all the landscapes in Snowdonia, there's no doubt that this corner of the country is the one that has changed most over the years. The development of the lake's northern banks into the second biggest slate quarry in the world transformed the mountainside for over a thousand feet. Remains of copper mines on the south-eastern side of the lake can still be seen, as well as the imposing Dolbadarn Castle and the quarry mining village of Llanberis to the south-west. Following the closure of the quarry in 1969, plans were put in place to develop the site into Europe's largest pumped-storage hydro-electric power plant. Work commenced in 1975 at a cost of £425 million. 16km of tunnels were constructed and the plant can produce 1,800MW of power within seven seconds of releasing water from the upper lake at Marchlyn Mawr. At peak times it produces a third of Britain's power. At Gilfach Ddu on the lake's shores stands the National Slate Museum, home to the largest water wheel on mainland Britain. Although thoroughly industrialised, some myths are attached to the lake. While the quarrymen were tucked up in bed fast asleep in Llanberis, the tinkling of elves selecting stones to build fairy palaces could be heard floating across the valley (probably the sound of slate waste settling in the huge tips overlooking the valley).

Llyn Padarn

Ychydig yn is i lawr y dyffryn o gyfeiriad Llyn Peris mae yna lyn llawer mwy o faint. Mae Llyn Padarn yn ymestyn yr holl ffordd o bentref Llanberis a Chastell Dolbadarn i bentref Brynrefail ymhellach i lawr y dyffryn. Ni allai'r ddau dirlun fod yn fwy gwahanol. Tra bod golwg arallfydol a thywyll ar Lyn Peris, mae Llyn Padarn yn deyrnged i brydferthwch naturiol Cymru gyda golygfa o'r Wyddfa sy'n denu pobl yn eu miloedd bob blwyddyn.

Uwchlaw'r llyn saif Castell Dolbadarn a godwyd gan Llywelyn Fawr ar safle caer oedd wedi bodoli ers y 6ed ganrif. Cododd Llywelyn Fawr yr adeilad presennol ar ddiwedd y ddeuddegfed ganrif a dechrau'r drydedd ganrif ar ddeg i amddiffyn y ffordd trwy Eryri. Carcharodd Llywelyn ap Gruffydd ei frawd Owain ap Gruffydd yno yn y 1250au am tua ugain mlynedd. Yn dilyn lladd Llywelyn ein Llyw Olaf yng Nghilmeri yn 1282 cipiwyd y castell gan fyddin Iarll Penfro, cafodd ei ysbeilio a defnyddiwyd y coed i godi Castell Caernarfon. Credir i'r castell gael ei ddefnyddio i gadw carcharorion yn ystod gwrthryfel Owain Glyndŵr ar ddechrau'r bymthegfed ganrif.

Un o drigolion enwocaf glannau Llyn Padarn oedd Marged Uch Ifan (1696–1788). Er ei bod wedi ei geni yn Nhafarn y Telyrnau ar lan Llyn Nantlle, symudodd i fyw i Fwthyn Penllyn ger Llyn Padarn. Roedd yn enwog am ei nerth anhygoel a'i gallu i ganu'r delyn. Roedd hi hefyd yn helwraig o fri ac roedd ei chŵn yn gallu dal mwy o lwynogod mewn blwyddyn na chŵn pawb arall mewn deng mlynedd. Roedd hi hefyd yn enwog am ymaflyd codwm ac yn feistres ar y gamp ymhell i'w saithdegau. Ei gwaith oedd cludo mwyn copr mewn cwch rhwyfo o'r mwynfeydd ym mhen uchaf Llyn Peris i ben isaf Llyn Padarn ger Brynrefail. Roedd hi'n saer penigamp hefyd, yn gallu adeiladu cychod, telynau a ffidlau. Yn ogystal, roedd yn gerddor, yn canu â llais peraidd, yn fardd ac yn sgrifennu caneuon sydd yn dal ar gof a chadw hyd heddiw. Dyma waith baledwr arall yn canu am Marged:

Llyn Padarn

Mae gan Marged fwyn Uch Ifan
Delyn fawr a thelyn fechan,
Un i ganu'n Nhre Caernarfon
A'r llall i gadw'r gŵr yn ffyddlon.
Mae gan Marged fwyn Uch Ifan
Grafanc fawr a chrafanc fechan,
Un i dynnu'r cŵn o'r gongl
A'r llall i dorri esgyrn pobl.

Hen Bennill

Ar lan ogleddol y llyn rhed rheilffordd i dwristiaid a oedd yn wreiddiol yn cario llechi o Chwarel Dinorwig i'r porthladd yn y Felinheli (a elwid am gyfnod yn Port Dinorwic). Cynhaliwyd cystadlaethau rhwyfo Gêmau'r Gymanwlad ar y llyn yn 1958 adeg y gêmau yng Nghaerdydd.

Yn anffodus, yn 1993, fe blymiodd hofrennydd Wessex o ganolfan y Llu Awyr yn y Fali i'r llyn gan ladd tri chadét o'r ATC ac anafu un arall.

A lake famous on several counts, from its unique ancient species of Arctic red-bellied char to the dominant Welsh castle on sentry duty above the lake, to the link with one of the most formidable women Wales has ever seen! *Torgoch* fish have been trapped in the waters since the retreat of the last Ice Age and are now found only in a handful of Snowdonian lakes. Castell Dolbadarn was built to defend the thoroughfare through Snowdonia from invading forces on a 6th century fortification. It played a prominent part in the fight to defend Wales against the invading Edward I but was eventually overcome and ransacked by the Earl of Pembrokeshire's troops. Marged Uch Ifan has played her part in folklore ever since the early 18th century when she made a name for herself as a champion rower, harpist, hunter and crusher of men's bones. She held the contract to ship copper ore from Nant Peris across Llyn Peris and Llyn Padarn to Brynrefail. Her hounds caught ten times the number of foxes that those of other men could. She was also a champion harp maker and boat builder and a formidable wrestler, even at the age of 70. A true legend!

Llyn Dwythwch a Llyn Du'r Arddu

Yng nghesail Moel Eilio, Moel Gron a Moel Goch uwchlaw Dyffryn Peris, nid yw'r llynnoedd hyn ond dafliad carreg o bentref Llanberis ond rhywsut meant yn ddiarffordd yr un pryd. Trwy ddilyn afon Hwch i fyny at y llyn y daw'r rhan fwyaf o ymwelwyr at Lyn Dwythwch, yn bennaf y dyddiau yma i bysgota brithyll. Dyma ardal, fel nifer o rai eraill yng Nghymru, sydd wedi dioddef diboblogi enbyd ers bri'r Chwyldro Diwydiannol pan oedd tyddynwyr yn crafu byw ar y llechweddau. Tystia adfeilion capel Hebron nid nepell o'r llyn fod digon o addolwyr yn y cwm diarffordd hwn i godi capel o sylwedd. Bellach does ond dwy neu dair o ffermydd bychain gwasgaredig a cherddwr neu ddau yn crwydro rhwng y copaon i gadw cwmni i'r defaid ac adar y gweundir.

Yn ôl y sôn, cafodd Cwm Dwythwch ei enwi ar ôl i griw o gynghorwyr gyfarfod ar ben Moel Cynghorion gerllaw. Daeth yr wyth cynghorydd o Borthaethwy (Porth-aeth-wyth) drwy Gwm Dwythwch (Cwm-daeth-wyth) a dyna enwi'r dref, y cwm a'r mynydd. Efallai fod dychymyg byw ar waith yma, fodd bynnag, gan fod esboniadau tebyg yn eithaf cyffredin. Eglurhad posib arall yn lleol ydy i Lywelyn ap Gruffydd gilio yno wedi iddo wylio Bangor yn cael ei losgi i'r llawr o ben Carnedd Llywelyn. Dychwelodd i Gastell Dolbadarn gyda'r Dywysoges Gwenllian a'i Lys, gadawodd Gwenllian yn y castell er diogelwch ond cynhaliodd Llywelyn a'i gynghorwyr gyfarfod i fyny ar un o gymoedd yr Wyddfa uwchben pentref Llanberis. Mae'n debygol mai Cwm Dwythwch ydoedd ac mai dyna sut y cafodd Moel Cynghorion ei enw.

Byddai trigolion Gwaun Cwm Brwynog yn cael eu rhybuddio i fod yn ofalus wrth adael i'w plant chwarae ar lan y llyn rhag i'r tylwyth teg eu cipio. Mae hanes am fachgen o Helfa Fain, Llanberis, yn canfod y tylwyth teg yn dawnsio ger Maen Du'r Arddu yng Nghwm Dwythwch. Ar ôl eu gwylio am gyfnod aeth i ymuno yn y ddawns a bu'n dawnsio ar hyd y nos. Pan sylweddolwyd ei fod ar goll o'i gartref aeth ei deulu i chwilio amdano a'i ganfod yn hanner marw ar y maes. Cymerodd beth amser iddo wella o'i brofiad yn ôl y sôn.

Y mae Llyn Du'r Arddu yn un o nifer o lynnoedd Eryri y mae miloedd o ymwelwyr yn ei basio bob blwyddyn ar eu ffordd i gopa'r

Llyn Dwythwch

Wyddfa, ac mae'r rhan yma o Eryri yn gyrchfan i chwaraeon awyr agored o bob math gan fod Clogwyn Du'r Arddu yn codi'n serth o lannau'r llyn. Mae'r clogwyn yn un o brif ddringfeydd Eryri ac yn denu dringwyr o bob rhan o wledydd Prydain a'r byd. Yn wir, y mae'r graig wedi cael ei hystyried yn ddi-dor o'r 1930au hyd at ddechrau'r ganrif hon, fel un o brif ddringfeydd Prydain gan ei bod yn rhagori ar y dringfeydd gorau ar lethrau Ben Nevis yn yr Alban ac yn cynnig y llwybrau sydd wedi eu graddio ymhlith yr anoddaf. Dywedir bod awyrgylch sinistr i'r llyn gan fod y dŵr yn aml yn dywyll oherwydd ei leoliad yng nghysgod craig sy'n wynebu'r gogledd.

Ar ôl y clogwyn hwn yr enwyd trydedd orsaf trên bach yr Wyddfa gerllaw, yr orsaf olaf cyn cyrraedd y copa. Yr ochr arall i orsaf Clogwyn mae Cwm Hetiau gan y byddai hetiau teithwyr cynnar cerbydau agored Fictoraidd y trên bach yn cael eu chwythu oddi ar eu pennau wrth iddynt groesi'r bwlch. Byddai casgliad helaeth o gapiau a hetiau yn cronni yn y cwm a phobl Llanberis yn cael rhwydd hynt i helpu eu hunain i'r hetiau crand!

Mae olion cloddio am gopr i'w gweld ar y glannau fel sy'n wir am nifer o lynnoedd ar lethrau'r Wyddfa. Yn ffodus, nid oes olion parhaol o sylwedd yma gan fod y lleoliad yn gymharol anghysbell a'r gwaith yn galed iawn mewn tirwedd anodd. Er fod gweithfeydd copr ar ochr ddwyreiniol yr Wyddfa, yn Llyn Llydaw a Glaslyn roedd y gweithfeydd hyn yn rhan o fwyngloddiau Nant Peris islaw. Ysbeidiol a thymhorol iawn oedd y gwaith ac mae'n debyg mai cyfrannu at fywoliaeth y tyddynnwr a wnâi yn hytrach na bodoli fel menter ddiwydiannol lawn. Mae chwedloniaeth Eryri yn frith o hanesion twnelau tanddaearol yn uno llynnoedd ac mae sôn fod y llyn hwn wedi ei uno â Glaslyn. Cred rhai i hyn ddigwydd oherwydd y diwydiant mwyngloddio copr ond, mewn gwirionedd, mae cryn bellter rhwng y ddau lyn.

A stone's throw from the bustle of Llanberis and Llanrug, these lakes seem strangely remote and very much off the beaten track to anyone apart from trout anglers. The lands surrounding Llyn Dwythwch have steadily emptied of people over the past century and the ruins of Hebron chapel testify to the vanished congregation. Maybe the *tylwyth teg* still populate these hills occasionally as they have, once again, played their part in local folklore. This time, they are to be approached with caution as they will snatch any child left wandering alone along the lake shore. A local shepherd was once mesmerized by their dancing and, having joined in, almost danced himself to death.

Llyn Du'r Arddu is visited by thousands of tourists every year on their trek up Snowdon. The rock dominating the lake itself plays a part in mountaineering folklore with some of the best climbs in the UK. The cliff lends its name to the Snowdon Mountain Railway halt nearby but, far more interestingly, the valley of Cwm Hetiau beneath was thus named because this is where Victorian travellers in open carriages used to lose their hats. The people of Llanberis would then help themselves to the latest fashion. There are legends of underground tunnels providing connections with lakes on the eastern side of Snowdon, although this is unlikely.

Marchlyn Mawr a Marchlyn Bach

Yn nythu yn uchel ar lethrau Elidir Fawr gorwedda llyn Marchlyn Mawr. Bellach mae'r argae enfawr sy'n dal y dŵr yn ei le yn ymddangos fel petai rheolau disgyrchiant wedi eu torri. Mae'n ymddangos o'r mynydd fel petai dŵr y llyn yn ymestyn i'r awyr am Ynys Môn. Yn wir roedd angen sgiliau peirianneg sifil eithriadol i'w godi yn y lle cyntaf. Yn wreiddiol, llyn mynydd rhewlifol bychan oedd Marchlyn Mawr, yn cael ei ddal yn ei le gan farian o gerrig mân. Yn ystod y bedwaredd ganrif ar bymtheg codwyd wal i ymestyn y llyn gan fod y galw lleol am ddŵr yn cynyddu a bu'n cyflenwi dŵr yfed i'r ardal leol gan gynnwys Bangor hyd at y 1970au. Daeth y llyn wedyn i fod yn rhan o system trydan dŵr Dinorwig ar ddechrau'r 1970au a rhaid oedd dargyfeirio dŵr o Ffynnon Llugwy i gyflenwi anghenion y boblogaeth leol.

Dechreuwyd ar y gwaith o ymestyn y llyn yn 1975 pan godwyd wal enfawr i godi lefel y dŵr hyd at 33 metr ac roedd yn rhan o gynllun trydan dŵr mwyaf Ewrop ar y pryd. Rhaid oedd gwagio dŵr y llyn am ddwy flynedd er mwyn cwblhau'r gwaith a defnyddiwyd 1.5 miliwn o dunelli o gerrig lleol o chwarel gyfagos i godi'r wal. Mae'r wal wedi ei leinio â choncrid a tharmac rhag i'r dŵr ddraenio allan. Codwyd y wal tua 2.5 metr arall ynghanol degawd gynta'r ganrif hon er mwyn cynyddu'r dŵr sy'n rhan o'r system a chynhyrchu mwy o drydan. Pan fo'r dŵr yn cael ei ollwng o Farchlyn Mawr, mae'n disgyn dros 1,600 troedfedd i'r tyrbinau sydd wedi eu lleoli mewn ceudyllau yn ddwfn yng nghrombil y mynydd.

Yn ôl y sôn, mewn ogof ar y llethrau uwchlaw Marchlyn Mawr y mae trysor y Brenin Arthur wedi ei guddio. Darganfuwyd yr ogof gan fugail o lethrau Moel Rhiwen gyferbyn ag Elidir Fawr, ond oherwydd ei bod yn hwyr ar y pryd a'i bod yn rhy beryglus iddo ddringo dros y creigiau penderfynodd fynd adref a dychwelyd yn y bore. Ar ôl dychwelyd, canfu fod yr ogof yn llawn o drysorau. Roedd bwrdd o aur pur ar ganol yr ogof ac arno goron aur, coron y Brenin Arthur. Ond wrth iddo nesáu i gyffwrdd y trysor clywodd sŵn erchyll oedd yn ddigon i wneud iddo ddianc o'r ogof am ei fywyd. Roedd wyneb Marchlyn Mawr yn ferw, ac yn donnau gwyn i gyd. Ar wyneb y llyn roedd tair o'r merched harddaf a welodd erioed yn cael eu rhwyfo tuag ato mewn cwrwgl. Roedd y rhwyfwr yn anhygoel o hyll, fodd bynnag, ac roedd yn rhwyfo tuag ato ar frys. Dihangodd y llanc am ei fywyd a bu i'r digwyddiad ei boeni am weddill ei fywyd ac ni feiddiodd fentro'n agos at y llyn fyth wedyn.

Mae'r chwedl yn eithaf enwog yn lleol ac mae llecyn o'r enw Bryn Cwrwgl i'w gael ar lan y llyn. Mae nifer o drigolion lleol wedi dringo'r creigiau dros y blynyddoedd gan ddefnyddio ysgolion o Chwarel Dinorwig ond, hyd yn hyn, 'run trysor!

Yr isaf o'r ddau lyn ar lethrau gorllewinol Elidir Fawr yw Marchlyn Bach ond mae'n creu tipyn llai o argraff na'i frawd mawr. Mae'r brawd mawr yn gorwedd yn dalog yn uchel ar y graig, gyda'i wal yn bochio tua'r gorllewin am Ynys Môn, ond mae Marchlyn Bach yn cuddio mewn hafn, bron iawn o'r golwg wrth i rywun gerdded heibio. Does dim wal enfawr na gwaith peirianneg drudfawr, a phasio ar ei ffordd i fyny'r mynydd a wna'r teithiwr. Cyfraniad Marchlyn Bach ydy ei fod yn gronfa ddŵr sy'n cynorthwyo Ffynnon Llugwy i gyflenwi dŵr i ardal Bangor pan fo'r galw. Mae'r llyn yn eithaf dwfn, bron i gan troedfedd pan fo'r gronfa'n llawn. Mae'r wal wedi ei chodi i uchder o tua deng metr sy'n golygu bod yna ddigon o ddŵr wrth gefn yn y gronfa.

Yn ôl y sôn bu brwydr fawr gerllaw rhwng dau o lwythau'r Celtiaid. Ymgasglodd un llwyth ar ben Moelyci (uwchben Pentir) a'r llall ar gopa Moel Rhiwen (uwchben Rhiwlas). Digwyddodd y frwydr yn y dyffryn rhwng y ddau fryn a gelwir y llecyn yn Maes Meddygon hyd heddiw sy'n tystio i'r gwaith mawr i feddygon ar ôl y frwydr. Llwyth Moelyci fu'n fuddugol (enwyd y foel ar eu hôl, yn ôl y sôn – Moel y Cry') a llwyth Moel Rhiwen (Rhai-gwan) a gollodd y frwydr.

Dywedir i hen wreigan ganfod cadair aur drom ar lethrau Moelyci. Clymodd un pen o'r edafedd oedd ganddi i goes y gadair a'i ddatod yr holl ffordd adref. Ond pan ddychwelodd gyda help doedd dim golwg o'r edafedd na'r gadair.

Roedd chwarel Marchlyn gerllaw yn rhan o system Chwarel Dinorwig. Chwarel gymharol newydd ydyw a agorwyd yn y 1930au gyda'r rhan fwyaf o'r cloddio yn digwydd yn y 1940au a'r 50au gan ddefnyddio technoleg gloddio gyfoes. Daeth y gwaith i ben yn y 1960au ac mae'r creithiau'n amlwg ar y tirlun o hyd.

As a partner to Llyn Peris in the Dinorwig hydro-electricity system, Marchlyn Mawr is a completely different lake from its original moraine held tarn. Today it represents a civil engineering wonder, albeit well disguised from afar. The lake capacity has been increased by a staggering 35 metres and is filled and drained daily as the main source providing the water the power plant needs. Its history goes a long way from its transformation in the 1970s and there are legends of hidden caves at the cliffs above the lake being home to King Arthur's treasures, as found by a young shepherd only to be forgotten again. Local quarrymen yearned to find the treasures in more recent times and used quarry ladders to scour the cliffside, but to no avail!

The poorer relation to its big brother Marchlyn Mawr, Marchlyn Bach is itself a reservoir and provides some water to the Bangor area. Overlooking both Moelyci and Moel Rhiwen, tales of titanic battles between two Celtic clans are linked to these hills and go some way to explaining their names. The clan of Moelyci (Moel y Cry' – hill of the strong) overcame the rival clan of Moel Rhiwen (Moel y Rhai Gwan – hill of the weak ones) in a very bloody battle in the land in-between, a place still called Maes Meddygon (field of medics). Similarily, a story exists of treasure found on the cliffs of Moelyci. The old lady who found the treasure tied one end of her knitting yarn to a gold chair in the trove and laid it most of the way home, but on returning with help there was no sign of the yarn nor the treasure.

Marchlyn Mawr

Llyn Glas a Llyn Bach

Dyma un o gymoedd mynyddig harddaf Eryri. Mae'n eithaf anghysbell ac felly'n gymharol ddistaw o ystyried ei fod ynghanol y pot mêl o ymwelwyr sy'n tyrru i Nant Peris, Crib Goch a'r Wyddfa. Mae'n eithaf anodd i'w gyrraedd ac mae tipyn o waith dringo. Mae'r ynys sydd ynghanol y llyn bychan yn rhoi naws chwedlonol, cyn-oesol i'r lle ac mae'n denu llawer i ddianc o'r byd a'i broblemau – lle i'r enaid gael llonydd!

Un arall ac iddi draddodiad tebyg i Marged Uch Ifan oedd Cadi Cwm Glas. Cawres o ddynes oedd hon hefyd ac roedd hi'n enwog am ei nerth a'i barf! Byddai hi'n ymladd yn gyson â dynion oedd yn cam-drin ei phraidd neu'n ei sarhau.

Mae traddodiad o gawresau cryf yn Nyffryn Peris ac roedd yna un a oedd ben ac ysgwydd yn uwch na Marged Uch Ifan a Chadi Cwm Glas. Roedd hi'n byw yng Nghwm Glas neu ar ben Bwlch Llanberis a byddai'n cerdded i lawr at Lyn Peris bob bore i ymolchi. Gallai roi troed ar un ochr y llyn a'r droed arall filltir a hanner i ffwrdd ar ochr arall y llyn gan godi dŵr o'r canol i 'molchi ei hwyneb. Mae marian o gerrig yn agos i Gwm Glas wedi eu gollwng o ffedog y gawres ac ôl ei throed i'w weld ym mhen pellaf 'Llechi Llyfnion' wrth ochr Llyn Peris.

Mae traddodiad o wrachod ym Mwlch Llanberis hefyd ac enwau fel Clogwyn y Grochan a Chwm y Wrach yn atgof o hyn. Roedd gwrach o'r enw Ganthrig Bwt yn byw heb fod ymhell o Bont y Gromlech a hi a gâi'r bai am ddwyn plant oedd yn mynd ar goll yn lleol ac, ar ôl amau anifeiliaid gwylltion ers blynyddoedd, daeth un o'r ffermwyr o hyd i sgerbwd llaw un o'r plant colledig ger Ogof Ganthrig. Aeth un o'r trigolion i'w denu allan o'i hogof drwy gynnig plentyn iddi a llwyddodd i dorri ei phen i ffwrdd â chryman yn y fan a'r lle yn ôl y stori. Dyma enghraifft o'r chwedlau ysgeler am wrachod a oedd yn rhan o'r traddodiad o'u herlid yn ôl pob sôn.

Ychydig yn uwch yng Nghwm Glas, ar ris arall yn y cwm fel petai, mae llyn bychan, sef Llyn Bach. Dyma un o lynnoedd uchaf Cymru ac mae craig enfawr Garnedd Ugain yn codi'n uchel wrth ymyl ddeheuol y llyn. Rhwng y graig hon a Gyrn Las a Chlogwyn y Person, mae tair ochr y cwm yn llethrau serth. Enwyd Clogwyn y

Llyn Glas

Person ar ôl ficer o ryw fath a dreuliai ei amser hamdden yn concro rhai o ddringfeydd Eryri am y tro cyntaf.

Mae Garnedd Ugain (neu Crib y Ddisgl) yn rhan o bedol yr Wyddfa a dyma'r mynydd mwyaf ond un yng Nghymru. Cred rhai fod yr enw Carnedd Ugain yn deillio o'r enw a roddyd ar y fyddin Rufeinig a oedd wedi ei lleoli yn Segontium yng Nghaernarfon. Gall tarddiad yr enw ddod o'r enw Wgon. Mae'r Tywysog Wgon yn ymddangos yng nghanu Dafydd ap Gwilym ac roedd bardd yn y drydedd ganrif ar ddeg o'r enw Wgon Brydydd.

Llyn Glas and Llyn Bach are two small tarns on the northern side of the Snowdon massif. To continue in the Nant Peris tradition of formidable women, three are linked with this part of the valley. Firstly, Cadi Cwm Glas, who often fought with grown men, was famous for her strength and her beard! Secondly, a giantess of myth and legend lived in Cwm Glas. Every morning she would go down to Llyn Peris to wash herself, straddling the lake with one foot on the northern bank and the other on the southern bank. Thirdly, a famous witch lived in Nant Peris below, near Pont y Gromlech. She was blamed for snatching and eating local children and was eventually killed by a mob. Possibly a typical excuse for the persecution of so-called witches.

Llyn Bach is one of the highest lakes in Wales, overlooked by Clogwyn y Person (translated as the Parson's Cliff) and named in memory of an intrepid man of the cloth who was the first to scale many Snowdonian cliffs back in Victorian times.

Llyn y Cŵn a Llyn Cwm Ffynnon

Mae Llyn y Cŵn mewn lleoliad anghysbell ond dramatig uwchlaw Twll Du a Chwm Idwal. Credir ei fod wedi ei enwi ar ôl tywysogion Cymru a oedd yn hela'n rheolaidd yn y cyffiniau. Mae hela'n codi'n rheolaidd mewn enwau lleoedd yn yr ardal, Llyn Bochlwyd (bwch llwyd), Bwlch Cwm Cŵn a Chwm Cynyddion. Mae Glyder Fawr, y Garn ac Esgair Felen yn codi o lannau'r llyn ac mae'r afon sy'n llifo o'r llyn yn plymio'n rhaeadr am chwe deg troedfedd i lawr i'r Twll Du. Mae'r lleoliad yn fan cerdded poblogaidd gan fod y Glyderau a'r criw yn gyrchfan poblogaidd i gerddwyr a dringwyr.

Heb fod ymhell o'r llyn, uwchlaw Cwm Idwal, mae cwm bychan o'r enw Cwm Cneifion. Yn anffodus, oherwydd bod trigolion yr ochr arall i Glawdd Offa yn cael trafferth wrth ynganu'r enw Cymraeg maent wedi dechrau ei alw'n *The Nameless Cwm*. Dyma enghraifft gymharol brin (diolch byth) o ailenwi ffurfiau daearyddol yn Eryri yn Saesneg. Gerllaw mae'r Twll Du yn aml yn cael ei alw'n Devil's Kitchen – yn aml gan y Cymry yn ogystal â'r Saeson. Mae'r enwau hyn yn ymddangos ar fapiau OS o'r ardal ac am ryw reswm mae rhai o'r Cymry'n ei gyfieithu'n ôl i 'Gegin y Diawl' yn lle defnyddio'r enw Cymraeg gwreiddiol.

Ychydig uwchlaw'r llyn ar lethrau'r Garn, cafodd pump o ddynion o awyrlu'r Unol Daleithiau eu lladd wrth i'w hawyren Marauder daro yn erbyn y mynydd. Doedd fawr ar ôl o'r awyren a'i chriw fore wedyn pan ddaeth tîm o Lanberis i chwilio amdanynt. Roedd darnau helaeth o'r awyren wedi disgyn i lawr i Gwm Cywion a draw i gyfeiriad Dyffryn Ogwen. Roedd damweiniau o'r fath yn gyffredin iawn yn yr ardal ym mlynyddoedd ola'r Ail Ryfel Byd gyda thraffig awyr yn drwm o feysydd awyr ar arfordir Cymru. Mae peth o'r olion yn dal i'w gweld ar lethrau'r Garn hyd heddiw.

Dan gysgod Glyder Fach, Glyder Fawr a Moel Berfedd mae cwm unig ac anial Cwm Ffynnon. Enw gwreiddiol y llyn cymharol fawr hwn oedd Ffynnon Mymbyr ac mae'n cael ei enwi yn siarter Llywelyn ap Iorwerth yn 1198. Mae'r afon sy'n llifo o'r llyn yn ffurfio rhan o'r ffin rhwng Gwynedd a Chonwy.

Dafliad carreg o'r llyn dros grib y mynydd mae canolfan Gorphwysfa ym Mhen y Pass. Dyma un o ganolfannau mwyaf poblogaidd Eryri i gerddwyr a dringwyr gan fod tri o brif lwybrau'r Wyddfa yn cychwyn yno (Llwybr y Mwynwyr, Llwybr PYG a Llwybr Crib Goch). Agorwyd y ffordd dros y bwlch yn y 1830au i alluogi mwyn copr i gael ei gludo i lawr i Lanberis o'r mwynfeydd ger Llyn Llydaw a Glaslyn (cyn hyn rhaid oedd i'r mwynwyr gludo'r mwyn mewn basgedi dros gopa'r Wyddfa i Feddgelert neu Rhyd Ddu – rhaid mai hon oedd un o swyddi caletaf Eryri ar y pryd!) Agorwyd gwesty Gorphwysfa yno yn ystod Oes Fictoria a bellach mae'n hostel ieuenctid.

Ger y ganolfan yng Ngorphwysfa roedd carreg arbennig – maen siglo a gafodd ei adael yno yn ystod yr Oes Iâ ddiwethaf. Yn ôl rhai roedd yn pwyso rhwng 15 a 20 tunnell a byddai'n aml i'w gweld yn siglo yn y gwynt, cymaint oedd y cydbwysedd ond, yn anffodus yng ngaeaf 1980, aeth fandaliaid ati i ddymchwel y maen â throsoliau neu fariau haearn mawr. Ni ddaliwyd y rhai oedd yn gyfrifol ac, i wneud pethau'n waeth, yn ôl traddodiad, pe dymchwelid y maen byddai gan Loegr oruchafiaeth lwyr tros Gymru.

Llyn y Cŵn is the uppermost lake of the Glyderau range and its name comes from the Welsh princes' hunting hounds. The valley of Cwm Cneifion, sitting above Cwm Idwal nearby, has sacrilegiously been named Nameless Cwm by visitors, it is thought because they couldn't pronounce 'Cneifion' properly! Five airmen were killed above the lake during the Second World War when their Marauder plane hit the sheer cliff face on the slopes of Y Garn.

Although remote and barren, Llyn Cwm Ffynnon can easily be reached from Gorphwysfa, the National Park centre at Pen y Pass. The centre developed following the opening of the Llanberis Pass route to carry copper ore from the depths of Snowdon. Prior to this, ore used to be lumbered in baskets up the ridge to the summit of Snowdon and down towards Rhyd Ddu and Beddgelert – possibly the toughest job in Wales!

Llyn Cwm Ffynnon

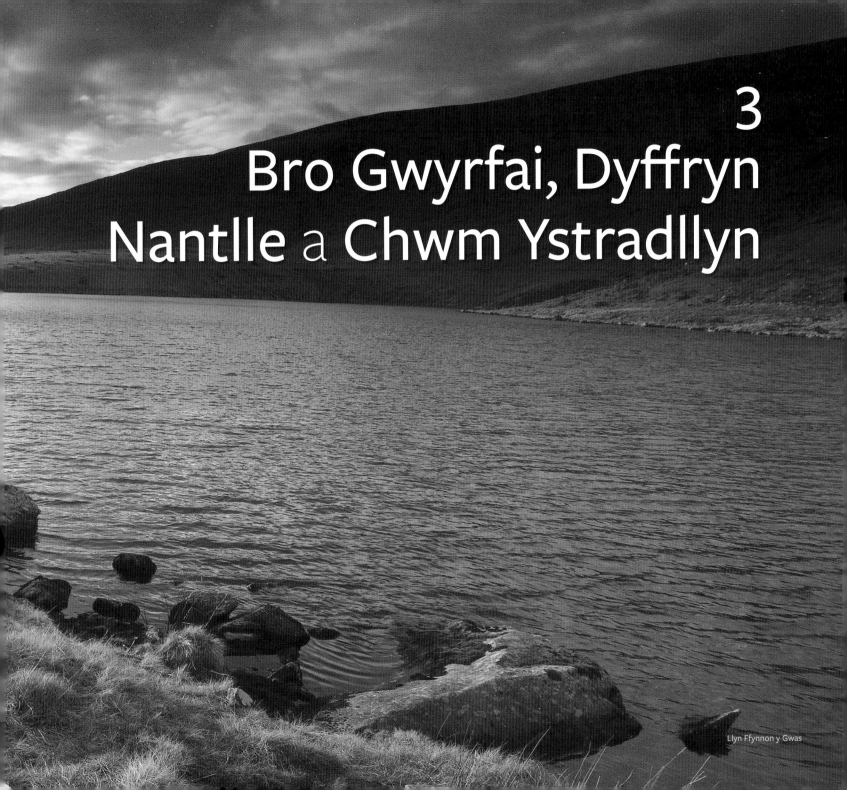

3

Bro Gwyrfai, Dyffryn Nantlle a Chwm Ystradllyn

Llyn Ffynnon y Gwas

Llyn Cwm Dulyn
a Llynnoedd Cwm Silyn

Llyn Cwm Dulyn

Yn nythu ar ymyl orllewinol Dyffryn Nantlle ac yn edrych draw dros Gaernarfon am Landdwyn a Chaergybi, mae Llyn Cwm Dulyn. Dyma'r llyn mwyaf gorllewinol o holl lynnoedd Parc Cenedlaethol Eryri, llyn mynydd distaw sy'n gorwedd mewn pwll du ar ochr Mynydd Graig Goch. Prin yw'r ymwelwyr ac, fel nifer o leoliadau yn Nyffryn Nantlle, mae'n gyfrinach sy'n cael ei chadw rywsut rhag y torfeydd.

Gerllaw, mae cymunedau Nebo a Nasareth, pentrefi mynyddig o dyddynnod a fu'n cyfrannu at fywoliaeth dlawd chwarelwyr y dyffryn. Mae'r caeau bychain i'w gweld yn glytwaith ar draws y gweundir cyn ymagor i ehangder y mynyddoedd. Tystia enwau'r pentrefi i'r datblygiad cymunedol mawr adeg y diwygiad crefyddol wrth i'r capeli, a oedd yn ganolbwynt bywyd, roi eu henwau i'r pentrefi a dyfodd o'u hamgylch. Mae'r llyn yn gronfa ddŵr i ardal Dyffryn Nantlle ers y 1890au ac yn y 1980au ymestynnwyd y llyn ac agorwyd gwaith newydd trin dŵr.

Wrth ddringo heibio i'r llyn i ben y Graig Goch gellir dilyn y copaon ar hyd Crib Nantlle, un o lwybrau cerdded godidocaf Cymru, yr holl ffordd i Ryd Ddu gan wlychu pig yn nhafarn y Cwellyn Arms ar ddiwedd taith sychedig. Ar ochr ogleddol y llyn – Braich y Llyn – ceir olion dau 'Meifod' neu 'Hafod', cytiau a oedd yn gartrefi i fugeiliaid a'u preiddiau rhwng Calan Mai a Chalan Gaeaf yn y Canol Oesoedd. Dywedir fod twnnel tanddaearol yn cysylltu Llyn Cwm Dulyn â Llynnoedd Cwm Silyn gerllaw er mwyn galluogi pysgodyn trawiadol y torgoch i nofio yn ôl a blaen.

Fel Llyn Cwm Dulyn, mae yna lynnoedd eraill yn gorwedd mewn cwm wedi ei naddu o graig Mynydd Cwm Silyn, sef y mynydd nesaf at Fynydd Graig Goch – cartref Llyn Cwm Dulyn. Yma, mae dau lyn bychan ac un pwll llai sy'n gorwedd yn union o dan y graig enfawr sy'n codi i uchelfannau Crib Nantlle. Gan fod y cwm yn gorwedd yng nghesail ogleddol y mynydd, nid yw'n gweld yr un llygedyn o haul yn ystod y gaeaf. Mae dwy afon yn llifo o gyfeiriad Cwm Silyn i lawr i Ddyffryn Nantlle islaw, sef afon Tŷ Coch ac afon Rhitys. Dyma ddwy o afonydd harddaf yr ardal gan fod cwymp cyflym yn lefel y tir yn cyfrannu at y rhediadau hir o raeadrau a phyllau yr holl ffordd i lawr ochr y dyffryn.

Mae Craig Cwm Silyn yn un o'r dringfeydd gorau yn Eryri ac mae ei phoblogrwydd yn denu nifer i'r cwm diarffordd. Mae un chwedl yn adrodd hanes pysgotwr lleol o'r enw William Ellis yn treulio prynhawn hir ac unig ar lannau'r llyn. Yn sydyn fe ymddangosodd byddin o ddynion bychain tua throedfedd a hanner o daldra o'i flaen a'r rheini'n dawnsio a chanu'n beraidd wrth ymyl y dŵr. Wedi iddo wrando arnynt am oriau, aeth yn rhy agos atynt a thaflwyd llwch i'w lygaid. Wrth eu rhwbio, fe ddiflannodd y tylwyth teg.

Ar Dachwedd yr 20fed 1942, fe gychwynnodd awyren Hawker Henley ar ei thaith o faes awyr Tywyn, Meirionnydd. Wrth geisio mynd heibio i'r llyn mewn niwl trwchus fe drawodd yn erbyn y graig. Lladdwyd y peilot ac yn y dyddiau cyn gwasanaeth achub yr Awyrlu Brenhinol bu'n rhaid i chwarelwyr a oedd yn gweithio gerllaw achub corff y peilot a'i gludo i lawr y dyffryn. Fe'i claddwyd ym mynwent Llanbeblig yng Nghaernarfon ac roedd olion yr awyren yn dal i'w gweld ar y llethrau tan yn ddiweddar. Bu damwain awyr angheuol arall ar yr un diwrnod yn yr un ardal o Eryri. Lladdwyd pump o ddynion wrth i awyren debyg o faes awyr Llandwrog daro yn erbyn llethrau Moel Eilio. Yr oedd y Llu Awyr Brenhinol yn weithgar iawn yn yr ardal ar y pryd ac nid ystyriwyd bod y ddwy ddamwain yn gyd-ddigwyddiad neilltuol; o bosib, erbyn heddiw byddai'n stori wahanol.

Far on the westernmost point of the Nantlle mountain ridge and carved into Mynydd Graig Goch, Llyn Cwm Dulyn sits in a rocky cauldron. The names of the nearby villages of Nebo and Nasareth testify to the population boom and subsequent growth in the area around the time of the religious reformation early in the twentieth century, although remains of settlements from the Middle Ages can still be seen – homes to shepherds during the summer months. The lake is linked to nearby Llynnoedd Cwm Silyn, apparently by underground tunnels to enable fish to swim back and forth. Llynnoedd Cwm Silyn can be found nestling under the Nantlle ridge of mountains, two secluded lakes and a few ponds shelter from the sun for most of the winter. A local angler apparently spent an afternoon observing a troupe of *tylwyth teg* dancing by the lake but, on approaching them, they threw dust into his eyes and disappeared. Above the lake the remains of an American warplane could be seen until recently; the pilot was killed when the aircraft struck the mountain in thick fog in 1942.

Llynnau Cwm Silyn

Llyn Cwm Ystradllyn a Llyn Du

Er nad oes dim byd i'w gymharu â phrydferthwch Cwm Pennant drws nesaf, mae yna lyn yng Nghwm Ystradllyn ac un bychan arall gerllaw. Cwm bychan unig ydyw sydd heb fod ymhell o Borthmadog fel yr ehed y frân ac mae'r ffaith ei fod yn wynebu'r gorllewin yn ei wneud yn lleoliad hudolus pan fo'r haul yn suddo i Fae Caernarfon ar noswaith o haf. Er ei fod ar ffiniau Parc Cenedlaethol Eryri mae bron fel meicrocosm o lynnoedd Eryri. Cyflenwir dŵr oddi yma i ardal Dwyfor a Llŷn ac fe godwyd argae i ymestyn y llyn yn 1959.

Yn wahanol i Gwm Pennant, nid yw Cwm Ystradllyn wedi llwyddo i atal creithiau diwydiannol y diwydiant llechi rhag ei

Llyn Cwm Ystradllyn

hagru. Er nad ydy maint y distryw mor eithafol ag yn nyffrynnoedd Nantlle, Peris ac Ogwen i'r gogledd, mae olion Chwarel Gorseddau i'w gweld yn amlwg. Ceir atgofion clir o'r gorffennol diwydiannol ym Melin y Pandy yn is i lawr y cwm gyda'i bensaernïaeth Rufeinig ryfeddol dros dri llawr. Fel nifer o chwareli llechi oedd yn bodoli ar ymyl y band llechi Cambriaidd, amrywiol oedd ffawd Chwarel Gorffwysfa. Datblygwyd y chwarel gan gwmni cloddio o'r Almaen ar safle a oedd wedi bodoli ers dechrau'r bedwaredd ganrif ar bymtheg. Yna, ehangwyd y safle yn 1855 gan fuddsoddi ym Melin y Pandy ond caeodd y felin yn 1867 ar ôl llai na deng mlynedd o waith ac fe'i defnyddiwyd wedyn fel neuadd bentref am ddegawdau. Diffyg profiad datblygwyr y chwarel a gyfrannodd at ei thranc gan fod symud crawiau llechi mawrion rhwng lloriau'r felin yn waith anodd a byddai melin un-llawr wedi bod yn fwy ymarferol. Mae olion graffiti Almaeneg wedi eu naddu i'r graig ym mhen ucha'r cwm gan weithwyr y chwarel.

Llyn Du

Mae dehongliad o stori dylwyth teg adnabyddus yn perthyn i'r lle hwn, sef fersiwn arall ar y stori sy'n disgrifio bugail yn syrthio mewn cariad ag un o'r tylwyth teg. Mae'n llwyddo, yn anfwriadol, i'w tharo â haearn o gryman wedi ei adael mewn ysgub o wellt sy'n cael ei gynaeafu. Mae hi'n diflannu'n syth ac nid oes yr un dyn yn ei gweld fyth wedyn.

Roedd yr ardal rhwng Cwm Ystradllyn a'r Wyddfa yn goediog iawn hyd at ddiwedd y drydedd ganrif ar ddeg. Rhwng y Cwm a Chwm Pennant, roedd ardal Cefn y Saeth ac roedd Coed Duon Cefn y Saeth yn enwog iawn yn lleol. Yn ôl y sôn, aeth y Brenin Iorwerth I ati i losgi'r coedwigoedd wrth orchfygu'r Cymry rhag iddynt eu defnyddio fel cuddfannau. Roedd hwn yn bolisi eang a llosgwyd Eglwys a Phriordy Beddgelert ar ddamwain wrth i danau ymledu.

Mae'r ffordd sy'n arwain heibio i Lyn Du yn un o ffyrdd bychain harddaf Eryri ac mae'r allt serth i lawr at Brenteg yn cynnig golygfeydd di-dor dros yr hen Sir Feirionnydd a Phorthmadog. Bellach, mae gyrru ar hyd y ffordd yn brofiad llawer mwy pleserus gan fod y gatiau niferus y bu'n rhaid i mi eu hagor a'u cau wrth grwydro pan oeddwn yn fachgen gyda fy nhad wedi diflannu a gridiau gwartheg wedi cymryd eu lle!

Unlike neighbouring Cwm Pennant, Cwm Ystradllyn hasn't escaped the ravages of the slate mining industry. The westernmost of Snowdonia's lakes, the quarry at the eastern shores was mostly the result of a failed business venture by an overambitious German mining company culminating in the nearby Melin y Pandy mill white elephant which still stands, albeit in ruins. Now mostly barren landscape, the area was formerly a great tract of forest but was burned down by Edward I to expose the hiding places of the uprising Welsh. The fires were so widespread that the church and priory in Beddgelert were burned down by mistake. Running from Cwm Ystradllyn to Prenteg, the road past Llyn Du winds down the slopes overlooking Porthmadog, Aberglaslyn and Penrhyndeudraeth. To add to the enjoyment, cattle grids have now replaced the dozen or so gates that I had to open and close as a little boy travelling with my Dad!

Llyn Nantlle

Llyn rhewlifol ydyw Llyn Nantlle ar lawr pen uchaf Dyffryn Nantlle a oedd yr uchaf o ddau lyn yn wreiddiol (Llyn Nantlle Uchaf a Llyn Nantlle Isaf) ger pentref Nantlle. Cyfeirir at Nantlle fel Baladeulyn yn draddodiadol gan gyfeirio at y ddau lyn gwreiddiol, sef y llyn presennol sydd uwchlaw Pont y Bala a'r hen lyn a fodolai ar yr ochr isaf i'r bont.

Ar lannau'r llyn isaf y datblygodd Chwarel Dorothea fel un o chwareli pwysica'r ardal ac wrth iddo dyfu daeth y llyn yn broblem enfawr i beirianwyr y chwarel. Ymledodd i'r twll chwarel sawl gwaith ar ddiwedd y bedwaredd ganrif ar bymtheg gan foddi nifer o chwarelwyr ac er mwyn sychu'r llyn penderfynwyd dyfnhau sianel afon Llyfni sy'n rhedeg i lawr y dyffryn. Galluogodd hyn i Chwarel Dorothea ddyfnhau'r twll ac ymestyn y tomenni. Claddwyd dau bentref bychan o dan y tomenni llechi, sef Tre-Grwyn a Sarn Wyth Dŵr yn ogystal â Dôl Pebin – 'Y Ddôl a aeth o'r Golwg' a anfarwolwyd gan R Williams Parry.

Mae hanes Nantlle i'w olrhain yn ôl ymhell. Roedd llys hen dywysogion Cymru yno ac mae canolfan gymunedol y pentref wedi ei henwi ar ei ôl, sef Llys Llywelyn. Bu Gerallt Gymro yno gydag Archesgob Caergaint yn y ddeuddegfed ganrif i annog y Cymry i ymuno â byddinoedd Rhyfeloedd y Groes. Arhosodd y Brenin Iorwerth I yma ar ei daith trwy Gymru yn 1283 yn fuan wedi iddo orchfygu Llywelyn ein Llyw Olaf yng Nghilmeri.

Bu glannau'r llyn yn gyrchfan i nifer o artistiaid enwog dros y blynyddoedd oherwydd yr olygfa ddigymar o'r Wyddfa ar ben ucha'r dyffryn. Daeth neb llai na Richard Wilson yno yn 1765 ac mae ei lun yn rhan o gasgliad Oriel Gelf Walker yn Lerpwl.

Mae traddodiad y Mabinogi yn gryf yn Nyffryn Nantlle, o Gaer Arianrhod yn y môr ger Dinas Dinlle i Lyn Nantlle. Daw'r enw Nantlle o Nant-Lleu, sef Lleu Llaw Gyffes a ddaeth i orffwys ar gangen coeden ar Lan Llyn Nantlle. Cafodd ei ganfod yno gan Gwydion ar ffurf eryr pydredig yn dilyn brad ei wraig Blodeuwedd a'i lofrudd Gronw Pebr.

Llyn Nantlle as it is today was the higher of two lakes, until the lower of the two was drained by the Dorothea Quarry to prevent flooding of the quarry. Slate mining has changed forever the tract of land to the west of the bridge at Nantlle with the loss of several villages. Thankfully, the land to the east has not and this is where Llyn Nantlle lies. An area steeped in myth and legend, including the appearance of Lleu Llaw Gyffes in the Mabinogi as a putrefied eagle, Nantlle has played its role in legend. Edward I once paid a visit as did the artist Richard Wilson. Giraldus Cambrensis also came here to recruit men for the Crusades with the help of the Archbishop of Canterbury.

Llyn Nantlle

Llyn Nantlle

Llyn Ffynhonnau

Uwchlaw llethrau gogleddol Dyffryn Nantlle, yn gorwedd uwchben y creithiau eang o chwareli Penyrorsedd, Gwern Ifan a Dorothea, mae'r gweundir yn ehangu i gyflwyno peth normalrwydd yn ôl i'r tirlun. Wrth i'r ehangder ymestyn i'r mawndir anghysbell tua Moel Tryfan a Mynydd Mawr, mae llyn bychan yn gorwedd yng nghesail y mynydd. Nid llyn cwm ydy hwn, fel y llynnoedd ar ucheldiroedd eraill y dyffryn, ond llun cors fawnog sydd wedi ei ymestyn, ac yna'i leihau, dros y blynyddoedd.

Ceir amrywiaeth ar stori dylwyth teg gyfarwydd yma hefyd. Fe welodd mab fferm gyfagos Gelli Ffrydiau yn Nantlle y tylwyth teg yn dawnsio'n sionc, yn canu'n swynol ac yn chwarae'r ffidil wrth y llyn. Ymunodd â'r hwyl, yn ogystal â'i ddau gi, am dri diwrnod a thair noson yn ddi-dor hyd nes i'r Cyfarwydd ddod i'w achub rhag dawnsio i farwolaeth. Mae stori debyg iawn i chwedl Llyn Cwm Silyn i'w chael yma hefyd ac yn ôl y stori mae bugail yn gwylio'r tylwyth teg yn dawnsio a chanu am beth amser cyn iddo fynd yn rhy agos a chael llond ei lygaid o lwch yn ddiolch!

Uwchlaw'r llyn, ar lethrau deheuol Dyffryn Nantlle, mae clogwyn serth yn disgyn i Ddrws y Coed islaw. Gelwir rhan o'r graig yn Cerrig y Pawl. Yn ôl yr hanes, roedd y Rhufeiniaid yn hoff o ladd am hwyl yn y man hwn a hynny yn y modd mwyaf erchyll. Cludid carcharorion mewn cewyll neu gasgenni i ymyl y clogwyn a'u gollwng dros y dibyn i farw'n siwrwd islaw. ('Pawl' yn y dafodiaith leol ydy 'powlio' neu rowlio.)

Mae hanes ysgafnach yn rhoi ystyr posib i'r enw hefyd. Yn ôl y sôn disgynnodd mab fferm Gelli Ffrydiau mewn cariad â merch fferm Talymignedd Uchaf yr ochr arall i'r dyffryn ond nid oedd rhieni'r ferch yn fodlon iddo'i phriodi. Rhoddodd tad y ferch nifer o heriau i brofi'r llanc. Yn un ohonynt, roedd yn rhaid iddo sefyll ar ben y graig (gyferbyn â'i fferm) yn noethlymun groen ar noson rewllyd. Er mwyn cadw'n gynnes aeth â bwyell a phawl i ben y graig a'i golbio i'r ddaear drwy'r nos. Cadwai ei gorff yn gynnes trwy weithio ac roedd gwres y pawl yn cynhesu ei gorff yn ôl yr angen. Bu'r ferch yn ei wylio drwy'r nos yng ngolau cannwyll ac ymhen amser fe briodon nhw.

Despite being off the beaten track, squatting at the foot of the elephant-like Mynydd Mawr, many have paid a visit here, including the Romans and the *tylwyth teg*. The Romans enjoyed the grizzly bloodsport of rolling slaves to their deaths in crates and barrels down the steep slopes of Cerrig y Pawl. Another tale explains the origins of the term with a love-struck shepherd trying to impress a maiden's father by accepting the challenge of spending an icy night naked on the rocks on the opposite side of the valley. To keep warm, he hammered away all night with a sledge hammer.

Llyn Cwellyn

Llyn hirfain ar lawr dyffryn afon Gwyrfai rhwng pentrefi Rhyd Ddu a Betws Garmon yw Llyn Cwellyn ac mae'n union ar ymyl y briffordd o Gaernarfon i Feddgelert a gwelir adlewyrchiadau Castell Cidwm a'r Mynydd Mawr yn fynych ar wyneb y llyn. Mae'r hen enw, Llyn Tarddeni, wedi diflannu. Mae niwl y bore yn hongian yn hir yn

Llyn Ffynhonnau

yr awyr yn aml iawn a'r llonyddwch yn rhoi teimlad arallfydol nes i beiriant car ruo heibio ar frys. Saif craig Castell Cidwm fel unben uwchlaw'r llyn. Rhan o Fynydd Mawr ydyw, neu Fynydd Eliffant oherwydd y gwelir ffurf y creadur hwnnw o gyfeiriad y Waunfawr, ac mae Castell Cidwm wedi benthyg ei enw i'r plas ar lan y llyn.

Ar y glannau mae un o brif lwybrau'r Wyddfa'n cychwyn, sef Llwybr Cwellyn neu'r *Snowdon Ranger*. Fe'i henwyd ar ôl hostel ieuenctid y *Snowdon Ranger* a cafodd hwnnw ei enwi ar ôl John Morton, un o arweinyddion mynydd cynnar yr ardal.

Mae ffordd fawr o bwys yn mynd ar hyd glan Llyn Cwellyn ers canrifoedd ac fe gododd y Rhufeiniaid ffordd i gysylltu eu caer yn Segontium, Caernarfon, â gorsaf yn Nhremadog. Bellach, mae Rheilffordd Ucheldir Eryri yn dilyn y llwybr o Gaernarfon i Borthmadog ar hyd glannau'r llyn. Er mai hi yw'r rheilffordd gledrau cul hiraf yng Nghymru, ni fu erioed yn llwyddiant. Fe'i hagorwyd yn 1923 ond aeth i ddwylo'r derbynnydd yn 1927. Daeth Cwmni Rheilffordd Ffestiniog i'r adwy yn ddiweddarach gan arwyddo cytundeb 42 mlynedd i redeg y gwasanaeth ond caewyd y lein yn 1937. Yn ystod yr Ail Ryfel Byd codwyd y trac i'w ddefnyddio fel metal sgrap. Bellach, mae'r lein heibio i'r llyn wedi ailagor gan greu atyniad twristaidd sy'n denu ymwelwyr fel gwenyn i bot mêl trwy'r haf.

Mae'r stori dylwyth teg gyfarwydd yn gysylltiedig â'r lle hwn hefyd ond yma mae'r bugail yn colli ei wraig, o blith y tylwyth teg, ar ôl torri amod na fyddai byth yn cyffwrdd â haearn. Yn ôl chwedloniaeth, mae twnnel yn uno Llyn Cwellyn a Llyn Padarn er mwyn i'r torgoch deithio'n rhydd. Ceir hefyd yn chwedloniaeth Llyn Cwellyn hanes caer a godwyd ar gopa craig Castell Cidwm. Roedd Cidwm yn fab i Elen Lueddog o'r Deheubarth, brenhines oedd yn berchen ar fyddin o filwyr. Fe enwyd y ffordd Rufeinig Sarn Helen ar ei hôl, ffordd yn rhedeg o Aberconwy i Gaerfyrddin y down ar ei thraws sawl gwaith yn y penodau nesaf. Yn ôl y chwedl, roedd Elen yn teithio gyda'i mab ieuengaf o Gaerseiont i Gaer Eryri, o dan ofal ei byddin, pan ymosodwyd arnynt gan Cidwm, mab hynaf Elen. Roedd Cidwm yn eiddigeddus o'i frawd bach ac roedd â'i fryd ar ddial. Roedd Elen yn arwain y fyddin ar y blaen a'i mab yn arwain y gynffon, y milwr olaf un. Wrth i Cidwm ymosod ar y fyddin,

Llyn Cwellyn

daeth rhybudd o'r pen blaen i'r mab ieuengaf guddio neu lechu yn y creigiau cyfagos. Yr alwad oedd 'llech yr ola'. Ond daeth yr alwad yn rhy hwyr; roedd y brawd ieuengaf wedi ei glwyfo'n angheuol. Roedd Elen erbyn hyn wedi cyrraedd ardal Llanfrothen ac o glywed y newyddion fe ddywedodd: "Wel croes awr i mi heddiw". Mae ei geiriau'n cynnig tri enw lle i ni heddiw, sef Croesawr (neu Croesor), ffermdy Llech yr Olaf ym Metws Garmon a Chastell Cidwm. Ond beth a ddaeth gyntaf, y chwedl ynteu'r enwau, pwy a ŵyr?

Mae dylanwad tylwyth teg cryf yn yr ardal ac mae yna un hanesyn am hen wraig yn dod ar draws eu trysor ger Castell Cidwm. Wrth gerdded ar hyd y creigiau uwchlaw'r llyn tynnwyd ei sylw gan belydren yn sgleinio o hollt ddofn yn y cerrig. Gwelodd mai trysor ydoedd a chododd garnedd fechan o gerrig i nodi lleoliad y trysor, ond pan ddychwelodd gyda'i chymdogion o Fetws Garmon doedd dim unrhyw arwydd o'r garnedd na'r trysor. Wrth gwrs, amrywiaeth ar stori gyffredin ydy hon ac mae'n dal i herio ieuenctid yr ardal pan fo'u bryd ar hela trysor o dro i dro! Cafodd llanc ifanc arall ei hudo i ddawnsio yn ymyl Clogwyn y Gwin ger Llyn Cwellyn fel sy'n gyffredin, mae'n ymddangos, yng nghwmni'r tylwyth teg. Ar ôl dawnsio trwy'r nos penderfynodd adael ond wedi cyrraedd adref sylweddolodd fod saith mlynedd wedi mynd heibio a phawb wedi colli adnabod arno. Mewn clo trist iawn i'r stori, roedd ei gariad wedi symud ymlaen a phriodi bachgen arall.

Daeth Llyn Cwellyn yn enwog fel tarddiad i'r gwenwyn bwyd cryptosporidiosis ddechrau'r ganrif hon. Fel cronfa ddŵr bwysig roedd oblygiadau mawr ond ni fu effaith tymor hir.

Along the banks of this elongated valley floor lake lies a thoroughfare, a track ambling alongside the lake from Segontium (Caernarfon) to Tremadog since Roman times. From the shores of the lake, the Cwellyn path (or Snowdon Ranger, after the great John Morton, an early guide) runs up Snowdon. Nowadays, the Welsh Highland railway puffs its way up to a pinnacle at Rhyd Ddu and then onwards to Porthmadog. The *tylwyth teg* appear, with the familiar tale of the poor shepherd who marries a *tylwyth teg* bride, only to lose her after coming into contact with iron. There are also rumours of an underground connection with Llyn Padarn through which the *torgoch* passes.

Llyn y Dywarchen

Dyma, yn ddi-os, un o gyfrinachau gorau Eryri. Llyn bychan ydyw sy'n sefyll bron ar ben Drws y Coed, ar ben uchaf Dyffryn Nantlle, dafliad carreg o bentref Rhyd Ddu. Gorwedda fel petai ar gledr llaw'r creigiau a'r mynyddoedd o'i amgylch. Coda Clogwyn y Garreg yn dŵr serth o lan y llyn ac mae'r graig yn frith o hafnau llwydion

a chwarts gwyn fel marmor. Mae clogwyni'r Mynydd Mawr yn codi gerllaw, yn ogystal â'r Garn. Oddi yma ceir golygfa wych o'r Wyddfa a'r Aran, Moel Lefn, Moel yr Ogof a Moel Hebog. I ffotograffydd, mae'n lleoliad delfrydol gan fod golygfa ddilychwin i'w chael drwy 360 gradd.

Yn y bedwaredd ganrif ar bymtheg, ymestynnwyd y llyn gan godi wal ar yr ochr ddeheuol. Llwyddwyd i droi'r dŵr, sy'n gadael y llyn o dalgylch afon Llyfni, Dyffryn Nantlle, i ddalgylch afon Gwyrfai. Tua'r un pryd codwyd wal arall gerllaw, yr ochr arall i Glogwyn y Garreg, i greu cronfa ddŵr o'r enw Llyn Bwlch y Moch. Roedd y llyn hwn yn cyflenwi dŵr i weithfeydd copr Simdde'r Dylluan islaw yn Nrws y Coed. Yn ystod y 1950au penderfynodd perchnogion y llyn, Stad y Faenol, fod y wal mewn cyflwr rhy fregus (gan gofio bod anheddau islaw) a chrëwyd bwlch gan sychu'r llyn. Mae olion y llyn yn amlwg hyd heddiw (yn union fel petai rhywun wedi tynnu'r plwg o'i waelod!). Gellir gweld pyst clymu'r cychod hyd yn oed.

Yn y llyn gwreiddiol, yn ôl y sôn, roedd ynys yn arnofio ar wyneb y dŵr fel tywarchen fawr rai troedfeddi o hyd. Roedd wedi torri'n rhydd o'r tir a châi ei chynnal gan nwy methan o'r tir corslyd. Nododd Gerallt Gymro fodolaeth yr ynys yn dilyn ymweliad ar ei daith trwy Gymru yn 1188. Ar y pryd roedd tua wyth llath o hyd ac roedd rhaid i ffermwyr lleol wylio nad oedd eu hanifeiliaid yn crwydro i'r ynys pan oedd hi ger y lan rhag iddynt gael eu dal ar ôl i'r gwynt droi! Ganrifoedd yn ddiweddarach daeth un o arwyr yr ail ganrif ar bymtheg, Edmund Halley, i brofi dilysrwydd chwedl ynys y llyn unwaith ac am byth. Roedd yn anturiaethwr, yn seryddwr, yn ffisegwr, yn dywyddwr, yn fathemategwr ac yn ddaearyddwr ac enwyd comed go enwog ar ei ôl! Fe nofiodd i'r ynys a chyhoeddi i'r dorf a oedd wedi ymgasglu fod yr ynys yn wir yn symud! Ond nid hon yw'r ynys sy'n bodoli ar y llyn heddiw.

Ceir yma amrywiaeth ar stori adnabyddus am fugail yn disgyn mewn cariad â merch o blith y tylwyth teg a'i darbwyllo i'w briodi ar yr amod nad yw'n ei tharo â haearn. Un diwrnod, wrth gyfrwyo ceffyl, mae bwcwl y cyfrwy yn ei chyffwrdd â'r ferch, felly, yn diflannu.

Uwchlaw'r llyn daeth Clogwyn y Garreg yn enwog fel lleoliad ffilmio hysbyseb y siocled mintys After Eight yn y 1990au pan

Llyn y Dywarchen

Llyn y Dywarchen is a lake steeped in myth and legend that has also played a part in industrial history. A tale, often told, of the shepherd who falls in love with a girl from the *tylwyth teg* only to lose her after she comes into contact with iron, is appropriated to this lake as with others. The mystery surrounding the lake's original island, which apparently floated with the wind for centuries, was settled by the famous polymath, Edmund Halley, who paddled the floating sod across the lake to the amazement of the on-looking crowd. The lake's catchment area, and neighbouring former lake Llyn Bwlch y Moch, has been altered several times as it vies for that precious industrial commodity – water.

Llyn y Gadair

Gorwedda mewn corstir mawnog ger pentref Rhyd Ddu yng nghysgod y Garn, bron wrth droed yr Wyddfa. Cafodd ei anfarwoli gan un o feibion enwocaf y pentref, Syr T H Parry-Williams. Yn ei gerdd, cawn ddisgrifiad perffaith o'r llyn bas, di-nod bron, cyrchfan i ambell 'sgotwr neu aderyn. Daw'n fwy gweledol yn ystod misoedd y gaeaf gan fod y brwyn wedi melynu, sy'n cyferbynnu â düwch dŵr y llyn yn berffaith. A phan fo haul diwedd dydd yn torri trwy'r cymylau rhwng Moel yr Ogof a Moel Lefn, mae'r lliwiau'n dod yn fyw a'r graig unig sy'n sefyll ar lan y llyn fel petai'n cadw cwmni iddo wrth daflu cysgodion hir dros y gors.

Ceir olion Chwarel Llyn y Gadair ar ochr orllewinol y llyn ar ymyl ddwyreiniol y band llechi Cambriaidd, sef y band llechi mwyaf cynhyrchiol. Bu'r chwarel yn weithredol dros nifer o gyfnodau gwahanol ond, yn y pen draw, methiant fu pob buddsoddiad. Ar ochr ogleddol y llyn, gwelir llwybr tramffordd a godwyd i gysylltu'r chwarel â Rheilffordd Ucheldir Eryri ar ochr arall y llyn. Rhoddwyd y gorau i'r gwaith ar ôl adeiladu cyn belled â'r gors ger pentref Rhyd Ddu.

Gellir cerdded y llwybr ar hyd glannau'r llyn i ben y Garn ac ymlaen ar draws copaon Crib Nantlle yr holl ffordd i bentref Nebo ar ffiniau gorllewinol y Parc Cenedlaethol.

welwyd teulu'n eistedd o gwmpas y bwrdd i fwyta pryd o fwyd crand ar ben y graig!

Bellach mae'r llyn yn un o bysgodfeydd mwyaf poblogaidd yr ardal, sy'n cael ei reoli gan Gymdeithas Bysgota Seiont, Gwyrfai a Llyfni, ac mae'r glannau'n frith o 'sgotwyr yn gwlychu pluen yn ystod yr haf.

Bu llawer o sôn dros y canrifoedd am fwystfil Llyn y Gadair. Dechreua'r hanes wrth i lanc nofio ar draws y llyn yng ngŵydd ei ffrindiau. Sylwa'r ffrindiau fod rhywbeth hir ymlusgol yn ei ddilyn yn y dŵr gan ddadgordeddu'n araf. Maent yn ceisio ei rybuddio, ond yn ofer. Wrth iddo gyrraedd yr ochr arall mae'r trychfil yn codi ei ben a gorchuddio'r llanc â'i gordeddau. Boddwyd ef yn y dyfnderoedd gan adael dim byd ond pwll o waed ar ei ôl.

Although the remnants of the slate tips of Llyn y Gadair quarry spew their waste into the lake, according to legend a far more dangerous beast once lay in wait beneath the surface. Whilst swimming one day a young lad was drawn to his watery death by the beast's tentacles, in full view of his friends. The quarry is long closed, the connecting tramway was never completed but the beast still waits, apparently...

Llyn y Gadair

Llyn Ffynnon y Gwas

O dan y clogwyn ar ymyl orllewinol yr Wyddfa, yn wynebu Dyffryn Nantlle a'r môr, naddwyd cwm i ochr y mynydd. Cwm Treweunydd ydy'r rhan isaf a Chwm Clogwyn ydy'r rhan uchaf. Gorwedda Cwm Clogwyn yn union o dan glogwyn enfawr wedi ei goroni gan yr adeilad newydd ar gopa mynydd uchaf Cymru. Yng Nghwm Treweunydd ceir un llyn o bwys, sef Llyn Ffynnon y Gwas. Ceir yno hefyd lyn arall o fath, sef Llyn Treweunydd, a grëwyd i gyflenwi dŵr i chwareli Glan yr Afon yn Rhyd Ddu islaw. Bellach, mae wal y gronfa ar chwâl gan adael dim byd ond pwll a thir corsiog. Mae Llyn Ffynnon y Gwas yn llyn naturiol ac yn destun edmygedd i'r miloedd o ymwelwyr sy'n cerdded heibio i'r glannau bob blwyddyn wrth ddilyn Llwybr Cwellyn i ben yr Wyddfa.

Yn ôl y sôn, fe enwyd y llyn ar ôl bugail a foddodd yn y dyfroedd wrth olchi defaid ei feistr. Ac, yn wir, mae yna olion corlannau i'w canfod ar ymyl y llyn. Mae gan nifer fawr o lynnoedd Eryri gorlannau ar hyd eu glannau a'r un patrwm yn union yn ei ailadrodd ei hun.

Ar ddechrau'r unfed ganrif ar hugain adeiladwyd gorsaf bŵer i gynhyrchu trydan drwy rym dŵr ger Llyn Ffynnon y Gwas. Cyfeirir dŵr i beipen ychydig yn is na'r llyn fel ei fod yn disgyn i lawr ochr y dyffryn i orsaf gynhyrchu yn fferm Glan yr Afon islaw. Gall yr orsaf gynhyrchu 750kW o drydan i'r Grid Cenedlaethol ac mae'n gwbl anweladwy gan fod y beipen a'r orsaf wedi eu claddu o dan y pridd.

Just below the Snowdon Ranger path, sitting below the western cliffs of Wales' highest peak, this, the lower step of a split level cwm, is one of Snowdonia's best kept secrets. Named after a shepherd who was drowned here by his master, the sheepfolds still remain, but the waters are nowadays diverted to a 21st century underground hydro-electricity plant below in Rhyd Ddu.

Llyn Ffynnon y Gwas

Llyn Nadroedd, Llyn Glas a Llyn Coch

Ychydig yn nes at gopa'r Wyddfa o Gwm Treweunydd mae clogwyn yn arwain i fyny i gwm bychan arall. Mae Cwm Clogwyn yn gwm clyd diarffordd ac ychydig iawn yw'r ymwelwyr sy'n mynd yno er fod nifer yn ei weld wrth gerdded i fyny Llwybr Rhyd Ddu at yr Wyddfa. Mae yma dri llyn bychan ac mae'r cefndir i'r tri yn hynod ddramatig, yn glogwyni moel a chreigiau enfawr a fu'n rhan o'r clogwyni filoedd o flynyddoedd yn ôl.

Mae Llyn Nadroedd yn llyn main sy'n wynebu'r gorllewin i ddal pelydrau ola'r dydd ac, yn wir, mae'r haul yn diflannu tu ôl i'r Wyddfa am sawl mis yn y gaeaf. Fe gafodd y llyn ei ymestyn ar ryw gyfnod, mae'n debyg wrth i'r chwareli dyfu yn Rhyd Ddu ond, yn dilyn Deddf Diogelwch Cronfeydd 1975 rhaid oedd dymchwel y wal ac, yn dilyn hynny, fe ddaeth y llyn o hyd i'w lefel wreiddiol.

Yn rhyfeddol, mae dau Lyn Glas ac un Glaslyn ar lethrau'r Wyddfa. O bosib fod hyn oherwydd fod mwyn copr yn llifo i'r dŵr o'r creigiau a throi'r dŵr yn wyrddlas, neu oherwydd fod adlewyrchiad o'r awyr o bosib i'w weld yn y llynnoedd cysgodol neu adlewyrchiad lliw'r creigiau sy'n amgylchynu'r llyn. Credir i Owain Glyndŵr lochesu ger y llyn yn ystod y gwrthryfel, ond mae bron pob llyn yn yr ardal yn hawlio hyn. Yn sicr, roedd y rhan hon o Eryri yn chwarae rhan bwysig yn y gwrthryfel gan fod y cymoedd diarffordd yn llecynnau delfrydol i wersylla cyn ymosod ar gadarnleoedd y Saeson ger yr arfordir.

Llyn Coch yw'r trydydd o'r llynnoedd yng Nghwm Clogwyn ac mae ganddo hefyd gysylltiadau cryf â'r tylwyth teg. Mae nifer o'r creigiau yn gochach na'r creigiau sy'n amgylchynu'r llynnoedd cyfagos, yn union fel y mae lliw'r llechi yn amrywio o un ochr i'r dyffrynnoedd llechi i'r llall. Dyma sy'n rhoi ei enw i'r llyn. Mae'r stori dylwyth teg yn dilyn y patrwm cyfarwydd a geir yn Llyn y Dywarchen, Llyn Cwellyn ac eraill ond bod y diwedd, lle mae'r haearn yn dod i gyffyrddiad â'r ferch, yn amrywio o'r naill lyn i'r llall.

Llyn Coch

story of the *tylwyth teg* marrying the local shepherd, only to disappear later after coming into contact with iron, is connected with this lake as with many others.

Llyn Llywelyn

Mae Llyn Llywelyn bellach wedi ei amgylchynu â choedwig binwydd Beddgelert. Gan fod y Comisiwn Coedwigaeth yn rheoli'r tirlun o'i amgylch, mae nifer o lwybrau a llecynnau'n cael eu neilltuo ar gyfer cerddwyr a hamdden. Mae ei leoliad, tua tri chwarter milltir o'r ffordd, yn golygu ei fod yn boblogaidd gyda theuluoedd a cherddwyr ar brynhawniau Sul. Mac'r coedwigoedd oddi amgylch yn rhoi naws hollol wahanol i'r llyn, o'i gymharu â'r llynnoedd corslyd, mawnog cyfagos, ac yn wir mae'n cyflwyno amrywiaeth i'r tirlun moel, caregog sy'n nodweddiadol o'r ardal. Mae Moel Lefn a Moel yr Ogof yn codi'n union i'r gorllewin o'r llyn ac mae Moel Hebog megis dafliad carreg o'i lannau.

Yn ystod gwrthryfel Owain Glyndŵr credir i Owain a'i filwyr aros yng nghartref ffrind iddo, Rhys Goch, heb fod ymhell o Lyn Llywelyn yn Hafod Garegog. Ond roedd milwyr Harri'r IV ar ei warthau ac ar eu ffordd i'r tŷ. Y cam cyntaf i Owain a Rhys cyn ffoi oedd gwisgo dillad cyffredin y gweision. Aeth Rhys i gyfeiriad Nantmor, tra rhedodd Owain tua Aberglaslyn, ond daeth wyneb yn wyneb â chriw o filwyr y gelyn cyn cyrraedd y môr a sylweddolodd un o'r rheiny pwy oedd Owain. Bu'n rhaid iddo ffoi tua Moel Hebog gan fanteisio ar ei wybodaeth o'r ardal gyda'r milwyr yn dynn ar ei sodlau. Wrth agosáu at y bwlch rhwng Moel Hebog a Moel yr Ogof sylweddolodd Owain fod criw o Saeson yn ei wynebu wrth geg y bwlch. Roedd wedi cael ei amgylchynu. Doedd dim amdani ond dringo hollt ddofn, hir ar hyd wyneb Moel yr Ogof. Mae'r hollt, neu simdde, yn dal yno ac yn mesur dros dri chan troedfedd. Yn ôl y sôn, doedd 'run o'r Saeson yn fodlon dringo'r hollt, ond i fyny aeth Owain. Roedd y Saeson wedi colli golwg arno erbyn hyn ac o'r farn iddo ddianc i Gwm Pennant. Yno yr aeth y fyddin i'w erlid. Bu Owain, fodd

Mae'r llyn yn uchel ar lethrau'r Wyddfa, dros 1,700 troedfedd, ac mae ei leoliad cysgodol a'i ddŵr bas yn cyfrannu at y ffaith y bydd yn rhewi'n gyflym yn y gaeaf. Gall aros felly am rai wythnosau, os nad misoedd, ambell flwyddyn.

Cwm Clogwyn, nearer to Snowdon's peak than Cwm Treweunydd, has three small lakes, overlooked by the shiny new visitor centre at the summit. Often frozen in winter, Llyn Nadroedd is sheltered from the sun for several months a year. Extended when the quarries in Rhyd Ddu were in full swing, the dam has now been breached for safety reasons. Llyn Glas is another of the blue lakes of Snowdon (there are two Llyn Glas lakes and one Glaslyn!); some explain the use of the term 'glas' (which can mean blue or green in Welsh) to mean the colour of copper ore seeping to the waters from surrounding rocks. Here too, so they say, was one of Owain Glyndŵr's camps whilst he conducted raids on the coastal fortifications of the English. Llyn Coch is the third lake at Cwm Clogwyn situated just below the summit of Snowdon. The familiar

bynnag, yn cuddio mewn ogof ar lethrau'r foel nes i'r Saeson ddiflannu'n gyfan gwbl. Llwyddodd i ailymuno â'i fyddin gan fyw i ymladd sawl brwydr arall cyn diwedd y gwrthryfel. Mae Ogof Owain Glyndŵr ar fapiau OS a Simdde Glyndŵr i'w gweld ar lethrau Moel yr Ogof.

Gerllaw mae Llyn Nad y Forwyn. Yn ôl chwedl a roddodd ei enw i'r llyn, roedd priodfab a phriodferch yn cerdded ar hyd glan y llyn noson cyn y briodas ond roedd y priodfab mewn cariad â merch arall ac aeth ati i wthio'i ddarpar wraig i ddyfnderoedd y llyn a'i boddi. Yn ddiweddarach, daeth ysbryd y ferch i'w boeni – weithiau fel pelen o dân yn rowlio ar hyd glannau'r llyn ond weithiau fel nadau merch yn cael ei llofruddio.

Uwchlaw'r llyn ceir Bwlch y Ddwy Elor rhwng y Gyrn a Mynydd Drws y Coed. Daw enw'r bwlch o'r arferiad o drosglwyddo cyrff y meirwon a laddwyd yn chwareli Rhyd Ddu yn ôl i'w cartrefi yng Nghwm Pennant. Roedd un criw o ddynion yn cludo'r corff ar elor o ochr Llyn y Gadair i fyny i ben y bwlch lle roedd criw arall o Gwm Pennant yn cludo elor wag. Byddent yn trosglwyddo'r corff o'r naill elor i'r llall wedi iddynt gyrraedd y bwlch. Ganrifoedd ynghynt, yn yr Oesoedd Canol, roedd y bwlch ar lwybr y pererinion i Ynys Enlli. Roedd y cymal hwn o'r daith yn arwain o Ddolwyddelan i gyfeiriad Pen y Gwryd, i lawr i Nant Gwynant, dros Fwlch Cwm Llan i Ryd Ddu ac yna dros Fwlch y Ddwy Elor i Gwm Pennant cyn arwain drwy Fwlch Derwin i Glynnog Fawr a Llanaelhaearn.

Llyn Llywelyn lies deep in the Beddgelert Forest, nestling below the peaks of Moel Hebog and Moel yr Ogof where, famously, Owain Glyndŵr gave Henry IV's pursuing army the slip. Between Y Gyrn and Mynydd Drws y Coed, to the north of the lake, Bwlch y Ddwy Elor was the morbid location where, at midnight, stretchers carrying the bodies of quarrymen killed in Rhyd Ddu were taken to the pass and exchanged for empty stretchers carried up from Cwm Pennant. Llyn Nad y Forwyn nearby recalls the drowning of a maid by her husband-to-be on the eve of their wedding and visitors to the lake can still hear her ghostly cries.

Llyn Llywelyn

4
Nant Gwynant

Llyn Dinas
Cytiau Cychod

Llyn Gwynant

Ar lawr dyffryn Nant Gwynant mae dau lyn, sef Llyn Gwynant a Llyn Dinas. Llyn Gwynant ydy'r uchaf o'r ddau. Mae ei leoliad yn ddramatig fel llyn llawr dyffryn rhewlifol sy'n llwyddo'n rhyfeddol i ddal gogoniant y creigiau geirwon, y cribau cras a'r pinaclau miniog o amgylch y llyn. Mae'r copaon i'r gogledd yn ffurfio system fynyddoedd fwyaf dramatig Cymru gyda Gallt y Wenallt yn codi'n union o'r llyn ac yn arwain mewn pedol at y Lliwedd, yr Wyddfa, Garnedd Ugain a Chrib Goch. Ar lan y llyn mae craig enfawr Craig y Dyfrgwn a elwir yn *Elephant Rock* oherwydd ei ffurf ac mae llawer yn plymio oddi arni i'r dyfnderoedd pan fo'r dŵr yn cynhesu ychydig raddau ganol haf.

Uwchlaw'r llyn ar yr ochr dde-ddwyreiniol mae ffermdy Hafod Lwyfog sydd wedi bodoli ar y safle ers o leiaf 1540. Dyma fan geni Syr John Williams, gof aur i Frenin Iago I a roddodd gwpan aur hardd i Eglwys Beddgelert yn 1610. Yn ddiweddarach bu'n gartref i Ifan Llwyd (1600–78) – bardd a chawr o ddyn. Roedd hefyd yn ymladdwr o fri, yn ddyn a chanddo synnwyr cyffredin ac a oedd yn gyfaill y werin. Yn ystod y rhyfel cartref daeth criw o filwyr Cromwell i lawr y dyffryn a thorri i mewn i Hafod Lwyfog tra bod Ifan allan. Pan ddychwelodd a chanfod bod y milwyr wedi llesteirio ei dŷ, casglodd y cleddyfau a'r arfau a oedd wedi eu gwasgaru dros y gegin a'u taflu i lawr y clogwyn tu allan a chyda'i ddyrnau noeth aeth i'r afael â'r milwyr a diflannodd y rheiny drwy'r drws.

Bu ellyll o ysbryd yn poeni teulu Hafod Lwyfog ar ddechrau'r bedwaredd ganrif ar bymtheg. Ysbryd ydoedd a fyddai'n symud dodrefn, diffodd canhwyllau a chadw twrw mawr bob nos am wythnosau. Wedi diystyru'r posibilrwydd mai anifail neu aderyn oedd yr achos roedd cymaint o ofn yr ellyll ar y teulu fel na fedrent fynd i fyny'r grisiau. Ceisiodd pob dyn hysbys yn yr ardal ei waredu ond, yn y diwedd, offeiriad o Bwllheli a lwyddodd i roi diwedd ar ei deyrnasiad. Dywedir iddo gael ei offrymu i ddyfnderoedd Llyn Gwynant yn y diwedd.

Poenid ffermdy Tŷ'n 'Rowallt hefyd gan bresenoldeb eithaf anghynnes yn ôl y sôn. Er bod creaduriaid fel yr Ieti a Bigfoot wedi eu cyfyngu i'r Himalayas a'r Rockies, mae'n debyg fod y Gŵr Blewog yn codi ofn ar drigolion Nant Gwynant gan ddwyn bwyd ac ati o dai yn yr ardal. Un noson, tra oedd gŵr y fferm allan, clywodd ei wraig sŵn gwydr yn torri. Rhuthrodd i'r gegin a gweld braich â

Llyn Gwynant

llaw flewog yn estyn trwy'r ffenest. Brysiodd i nôl cleddyf ei gŵr a chydag un ymdrech fawr llwyddodd i daro'r fraich. Fe wnaeth y sgrech annaearol ddiasbedain ar hyd Nant Gwynant, daeth y cymdogion i weld beth oedd yn digwydd ac aeth pawb i chwilio am y Gŵr Blewog. Canfuwyd llaw fawr, flewog yn yr eira ger y tŷ a honno'n waed i gyd. Dilynwyd y stribed o waed i fyny llethrau'r Wyddfa ac at ogof yn ymyl rhaeadr. Doedd gan neb fawr o awydd mynd i mewn i'r ogof i chwilio am y Gŵr Blewog ond cafwyd syniad. Penderfynwyd defnyddio cerrig i droi'r dŵr o'r afon gerllaw i'r ogof ac wrth i honno lenwi â dŵr rhuthrodd y creadur allan gan sgrialu dros y Lliwedd. Saethwyd ato gyda sawl bwa a saeth (tybed a oes cysylltiad rhwng y stori hon a bwlch y saethau ar y Lliwedd?) ond dihangodd dros yr Wyddfa, i lawr Bwlch Llan a draw dros Nant Gwynant am y Cnicht lle y mae, yn ôl y sôn, yn dal i guddio!

Mae chwedl dylwyth teg ynghlwm wrth Hafod Lwyfog hefyd, hanes bugail o Gwm Dyli a fyddai'n pori ei ddefaid bob haf ger Glaslyn gan aros mewn cwt ar lan y llyn. Un bore, wrth ddeffro, gwelodd ferch ifanc yn eistedd ar erchwyn ei wely yn ceisio rhwymo babi i'w gadw'n gynnes, ond heb fawr o flancedi. Rhoddodd y bugail ei grys i'r ferch a dweud y câi ei gadw. Bob nos wedi hynny, canfu ddarn o arian yn ei esgid a pharodd y lwc dda hyn am flynyddoedd lawer – priododd ferch brydferth ei hun a chael llwyddiant ar hyd ei fywyd. Aeth i fyw i dyddyn Hafod Lwyfog (neu Lwyddog), a enwyd ar ôl ei lwyddiant, a byddai'r tylwyth teg yn ymweld bob nos i waredu ysbrydion drwg. Rhoddodd perchennog y fferm, Syr Clough Williams-Ellis, ran helaeth o'r tir i'r Ymddiriedolaeth Genedlaethol yn 1938 fel abwyd i sefydlu Parc Cenedlaethol Eryri.

Fferm arall o bwys yn yr ardal yw Hafod y Llan ar ochr orllewinol y llyn. Gerllaw'r ffermdy y cychwyn Llwybr Watkin i gopa'r Wyddfa. Dyma'r llwybr â'r mwyaf o waith dringo o'r prif lwybrau, gan ei fod yn cychwyn ond 200 metr uwch lefel y môr. Cafodd ei adeiladu gan Syr Edward Watkin ddiwedd y bedwaredd ganrif ar bymtheg er mwyn i westeion y caban fwynhau'r Wyddfa. Roedd Syr Edward yn arloeswr ym maes rheilffyrdd ac yn frodor o Swydd Gaerhirfryn. Roedd yn gyfrifol am godi rheilffyrdd ar draws Prydain a Gogledd America ond bydd yn cael ei gofio orau am ei gynlluniau i godi rheilffordd trwy dwnnel o dan y sianel rhwng Lloegr a Ffrainc. Syr Edward oedd yn arwain y cynllun a dechreuwyd ar y gwaith

ond, oherwydd problemau, ni wireddwyd am ganrif arall a mwy y freuddwyd o gael tir sych yr holl ffordd ar draws y sianel. Agorodd William Gladstone (y Prif Weinidog ar y pryd) y llwybr yn 1892 gan annerch torf o ben craig yng Nghwm Llan. Mae enw Gladstone Rock ar y mapiau OS hyd heddiw. Gwerthwyd stad Hafod y Llan i'r Ymddiriedolaeth Genedlaethol yn 1998 (tir a oedd yn cynnwys rhan helaeth o'r Wyddfa) yn dilyn ymgyrch gref i godi arian a ddenodd cefnogaeth yr actor Anthony Hopkins ac eraill.

Dywedir hefyd mai glannau Llyn Gwynant oedd cartref Madog ab Owain Gwynedd, y llongwr enwog, a ddarganfu America tua 1179, dair canrif cyn Christopher Columbus.

Mae'r llyn yn enwog fel lleoliad i fyd y sinema. Ond efallai mai byrhoedlog fydd cof pobol am ddylanwad *Lara Croft Tomb Raider: The Cradle of Life* o'i chymharu â'r clasuron eraill sydd wedi eu ffilmio'n lleol!

The upper of the two lakes in Nant Gwynant is overlooked by Gallt y Wenallt and the horseshoe formation of the Snowdon massif. Diving off the monolith overlooking the lake into the depths was once a popular pastime. Many tales relate to Hafod Lwyfog above the lake, now owned by the National Trust, ranging from that of the charismatic farmer who took a group of Cromwell's soldiers by the collar for breaking into his house, to a demon who tormented one family and was subsequently exorcised to the depths of the lake. The farmhouse itself, it is said, was built with the money the *tylwyth teg* gave a shepherd on the banks of Glaslyn for providing one of their infants with blankets to keep warm. Nearby, the occupants of Tŷ'n 'Rowallt were tormented by a Yeti-like character and chased him up to Glaslyn after chopping his hand off with a sword.

More recently the owner of a lodge by Hafod y Llan, Sir Edward Watkin, after masterminding the Victorian grand plan of excavating the first Channel Tunnel (subsequently abandoned), built a path from Nant Gwynant to the summit of Snowdon. The famous Watkin Path was opened officially in 1892 by the then Prime Minister William Gladstone. Another claim to fame for Nant Gwynant is that of being the home of Madog ab Owain Gwynedd, possibly the first European to discover America.

Llyn Dinas

Wrth deithio ychydig filltiroedd ar y briffordd o Feddgelert i gyfeiriad Capel Curig fe ddewch at y ffordd sy'n mynd â chi heibio i lannau Llyn Dinas. Mae'r llyn yn nyffryn Nant Gwynant ac, o'i gymharu â llynnoedd cyfagos, mae'n fas iawn, tua 10 metr ar ei ddyfnaf. Mae awyrgylch hudolus i'r safle, yn enwedig ar foreau llonydd pan fo'r niwl yn dew ar lawr y dyffryn a chopaon y mynyddoedd yn codi eu pennau uwchlaw'r tarth. Daw rhwyfiad diog aml i 'sgotwr i dorri ar wydr adlewyrchiad y llyn gan fod brithyll ac eogiaid yn denu llawer i wlychu pluen.

Mae'r llyn wedi ei leoli ar dir mawnog rhwng yr Aran a Mynydd Llyndy a chaiff ei enw oddi wrth graig Dinas Emrys sy'n esgyn o lan y llyn. Mae olion canoloesol i'w gweld o hyd ar y graig a oedd yn lleoliad strategol pwysig dros y canrifoedd. Craig arall o bwys gerllaw yw Craig yr Eryr a oedd, yn ôl siarter 1198, yn dynodi ble roedd cantrefi Aberconwy, Ardudwy ac Arfon yn cwrdd. Yn ôl Gerallt Gymro roedd eryr yn dod i orffwys yno unwaith yr wythnos i ddisgwyl yn eiddgar am frwydr rhwng milwyr y tri chantref.

Un arall y dywedir y bu'n gysylltiedig â'r llyn oedd y Brenin Arthur. Roedd glannau'r llyn yn safle brwydr rhwng un o filwyr y Brenin Arthur, Syr Owain, a chawr mawr. Dywedir fod trysor Myrddin wedi ei gladdu ar y glannau.

Roedd bwthyn ar lan y llyn yn gartref i wrach enwog o'r enw Nansi. Roedd Nansi'n gallu ei throi ei hun yn 'sgyfarnog a thalu pwyth i ffermwyr cyfagos yn ei ffurf hirglust. Roedd Llyn Dinas yn un o nifer o leoliadau lleol a ddefnyddiwyd i saethu'r ffilm *The Inn of the Sixth Happiness* ddiwedd y 1950au gydag Ingrid Bergman yn chwarae rhan Gladys Aylward. Dywedir fod y tirlun yn debyg iawn i ardal afon Felen yn Tsieina lle mae'r stori wedi ei lleoli.

Mae'r ardal yn frith o fwynfeydd copr, gyda gwaith Sygun gerllaw wedi ei addasu'n atyniad twristaidd. Daeth y gwaith mwyngloddio i ben yn 1903 cyn ailagor ar ei newydd wedd yn y 1980au.

Often shrouded in morning mist, the shallow lake of Llyn Dinas is equally shrouded in centuries worth of folklore mysteries. Associated with Arthurian legend, it was the location of a battle between one of King Arthur's knights, Sir Owain, and a giant. Merlin's treasure is also hidden somewhere along the shores. The towering rock of Craig yr Eryr marks the three-way boundary between the kingdoms of Aberconwy, Ardudwy and Arfon. An eagle used to perch on the rock every week in anticipation of a battle between the kingdoms. Remains of settlements have been discovered in the area dating from the Bronze Age and copper mines operated here for centuries.

Llyn Dinas

Glaslyn

O holl lynnoedd llethrau'r Wyddfa, y ddau lyn uchaf o'r tri dwyreiniol ydy'r rhai mwyaf dramatig. Mae Llyn Llydaw fel crochan yng nghysgod y Lliwedd tra bod Glaslyn yn nythu islaw pyramid copa'r Wyddfa o dan glogwyni unionsyth Clogwyn y Garnedd a Bwlch Saethau sy'n codi dros fil o droedfeddi o'r llyn i'r copa. Mae'r copaon o amgylch yn fyd-enwog i ddringwyr a cherddwyr – Lliwedd, yr Wyddfa, Garnedd Ugain a'r Grib Goch. Mae dau o brif lwybrau'r Wyddfa yn cwrdd nid nepell o'r llyn – Llwybr y Mwynwyr a Llwybr Pen y Gwryd (neu'r *PYG track* fel y'i gelwir gan y Saeson). Mae'r ddau lwybr yn uno uwchlaw Glaslyn cyn ymuno â llwybr Crib Goch yn uwch i fyny. Cafodd Llwybr y Mwynwyr ei godi yn ystod y bedwaredd ganrif ar bymtheg i gysylltu gweithfeydd copr Glaslyn â'r briffordd ym mwlch Llanberis. Dywedir fod rheolwr gwesty Pen y Gwryd – Arthur Lockwood (gweler Llyn y Gwryd) – wedi gyrru ei gar yr holl ffordd i fyny i Glaslyn pan oedd y gwaith copr yn ei anterth yn ystod Oes Fictoria.

Dyma darddiad afon Glaslyn ac mae'n llyn eithaf dwfn o ystyried ei faint, gan blymio i lawr i 127 troedfedd ar ei ddyfnaf. Mae mwyngloddio copr yn chwarae rhan bwysig yn hanes diwydiannol y llyn gan fod cloddio wedi digwydd ar ei lannau ers o leiaf diwedd y ddeunawfed ganrif. Mentrau ysbeidiol oedd rhai'r cwmnïau cloddio, wrth iddynt gloddio am nifer o flynyddoedd ac yna gadael nes i gwmni arall godi'r awenau flynyddoedd yn ddiweddarach. Bach iawn oedd y llwyddiant, nad yw'n fawr o syndod mewn tirwedd mor anghysbell a chaled. Britannia Mining oedd y cwmni olaf i weithio'r safle a daeth y gwaith i ben unwaith ac am byth yn 1917. Mae creithiau'r gwaith yn dal i'w gweld ac mae llygredd mwyn copr yn dal i lygru'r llyn gan nad oes dim pysgod yno hyd heddiw.

Mae chwedl yr Afanc yn ymddangos yn nhraddodiad nifer o lynnoedd Eryri gan gynnwys Glaslyn. Mae'r disgrifiad o'r Afanc yn amrywio i grocodeil, corrach, math o ddiafol neu froga ag adenydd a chynffon. Roedd hefyd yn llusgo defaid a geifr i'r dŵr. Daw stori'r Afanc yng Nglaslyn yn wreiddiol o Ddyffryn Conwy. Roedd hwn yn anghenfil o greadur a chanddo bwerau anhygoel. Gallai achosi llifogydd, difetha cnydau a boddi gwartheg hyd yn oed. Doedd

hi'n fawr o syndod bod ffermwyr lleol wedi cael llond bol arno. Y cynllwyn i'w ddal, felly, oedd ei symud i diroedd uwch lle byddai ei ddinistr yn llai. Gofynnwyd i'r gof lleol lunio cadwynau pwrpasol i'w gaethiwo a chynigiodd cymeriad o'r enw Hu Gadarn ddwy ychen gryfa'r ardal i'w lusgo. Rhaid oedd denu'r Afanc o'r pwll drwy bresenoldeb merch ifanc brydferth ac wrth i'r ferch honno eistedd ar garreg yn canu, daeth y bwystfil allan a gosod ei ben ar ei glin. Neidiodd y dynion ar ei ben a'i glymu â'r cadwynau ond brwydrodd yr Afanc yn gryf a llamu'n ôl i'r dŵr. Yn ffodus, roedd y cadwynau'n dynn amdano a llwyddwyd i'w lusgo o'r pwll. Llusgwyd yr Afanc ar hyd Dyffryn Lledr gan dwr o ddynion a'r ddau ych ac i fyny llethrau Moel Siabod a thrwy'r bwlch am ran uchaf Dyffryn Gwynant. Gwelir ar fapiau OS fod y bwlch hyd heddiw yn cael ei alw'n Fwlch Rhiw'r Ychen ond bu'r straen gymaint i un o'r ychain nes iddo golli llygad. Ymlaen yr aeth y fintai ar hyd rhan uchaf Nant Gwynant, i fyny Cwm Dyli, heibio i Lyn Llydaw nes cyrraedd Glaslyn ac yno y mae o hyd heddiw, medden nhw.

Prin ydy'r llynnoedd nad ydynt yn gysylltiedig â'r tylwyth teg. Yn Glaslyn, gwelodd bugail lleol hen ddynes wael ei golwg ar lannau'r llyn. Rhoddodd fwyd iddi ond ar ôl iddo ddychwelyd i'w loches gwelodd ddarn o arian yn ei esgid. Digwyddodd hyn yn ddyddiol a daeth y bugail yn gyfoethog. Ond ar ôl meddwi un noson aeth i frolio ei gyfoeth a throdd yr arian yn bapur diwerth ac ni welodd yr un darn arian byth wedyn. Rhan o ddiwylliant y mwyngloddwyr ydy'r tylwyth teg tanddaearol. Y Cnocwyr y gelwid hwy ac mae eu coel a'u chwedloniaeth yn gyfraniad storïol pwysig. Math cyfeillgar o dylwyth teg ydy'r Cnocwyr ac mae eu curiadau yng nghrombil y ddaear yn dynodi presenoldeb gwythïen gyfoethog o fwyn gerllaw. Roedd curo anghyson yn rhybudd o danchwa posib ac, yn ôl y chwedlau, roedd chwibanu neu regi yn eu gwylltio ac yn gallu achosi iddynt ddial trwy greu tanchwa.

Glaslyn is possibly the most dramatic lake in Wales, nestling below the horseshoe of Lliwedd, Snowdon, Garnedd Ugain and Crib Goch. Sporadic copper mining has left a few scars but erosion from two of the main routes up Snowdon nearby – the Miners' track and Pen y Gwryd track (PYG) is more obvious now. The recurring legend

Glaslyn

of the Afanc (beaver) appears here, a partly supernatural beast (somewhat like a beaver on steroids!) tormented the people of the Conwy Valley and was transported here in chains by two of the strongest oxen in the land in order to live far from the inhabitants of the valley floors. The *tylwyth teg* also contribute to the folklore of Glaslyn. A miner feeds a hungry old lady by the shores of the lake and is rewarded with a piece of silver in his shoe every night thereafter. Whilst drunk one evening he brags about his wealth and all of his gains disappear. The Knockers, another kind of *tylwyth teg*, are found deep underground in the copper mines here. They are the miner's friend, warning of rock-falls and indicating rich veins of ore. They can also cause rockfalls if they hear miners whistling or swearing!

Llyn Llydaw a Llyn Teyrn

O'r tri llyn sy'n rhedeg o gopa'r Wyddfa tua'r dwyrain i gyfeiriad Capel Curig y mwyaf a'r dyfnaf ydy Llyn Llydaw, yr un canol o'r tri. Mae Llwybr y Mwynwyr yn rhedeg ar hyd ei lannau o Ben y Gwryd i gopa'r Wyddfa. Mae'n debyg mai dyma'r llyn oeraf yng Nghymru, er nad yw'n rhewi mor gyflym yn y gaeaf â'r ddau lyn arall.

Mae olion diwydiannol yn amlwg ger y llyn gydag olion melin aml-lawr Britannia yn taflu ei chysgod. Roedd y gweithfeydd yn rhan o fwyngloddiau copr Glaslyn a Llydaw a fu'n weithredol yn bennaf yn ystod y bedwaredd ganrif ar bymtheg. Roedd y mwyn copr yn cael ei gario mewn basgedi ar geblau o Laslyn i'r felin ger Llyn Llydaw lle roedd yn cael ei falu. Yna byddai'n cael ei gludo ar rafftiau ar draws y llyn i'r marian ar ben Cwm Dyli. Yn dilyn nifer o ddamweiniau gyda'r rafftiau penderfynwyd codi cob ar draws y llyn i ganiatáu cludo'r mwyn gyda cheffyl a throl. Rhaid oedd gostwng lefel y llyn 12 troedfedd er mwyn gwneud y gwaith ac fe'i cwblhawyd yn 1853. Dyma pryd y daethpwyd o hyd i ganŵ pren o'r Oes Efydd ar waelod y llyn, sydd bellach yn Amgueddfa Genedlaethol Cymru yng Nghaerdydd. Mae'r holl gopr wedi gwenwyno Llyn Llydaw hefyd ac ar un adeg roedd yfed y dŵr yn achosi dolur gwddf go boenus.

Llyn Llydaw

Beddgelert and Snowdon Railway Co', gyda'r bwriad o redeg rheilffordd drydan ar hyd Nant Gwynant ond canfuwyd nad oedd galw am y gwasanaeth. Dyma orsaf bŵer hynaf Prydain ac un o'r gorsafoedd trydan dŵr hynaf yn y byd sy'n cyflenwi'r Grid Cenedlaethol. Defnyddiwyd y trydan i redeg gorsaf ddarlledu Marconi ger y Waunfawr yn 1912. Cafodd ei addasu yn 1990 a gall bellach gynhyrchu 9.8MW o drydan ar amrantiad sydd o fantais fawr i reolwyr y Grid Cenedlaethol ar oriau brig. Yma y saethwyd golygfeydd ar gyfer un o ffilmiau James Bond, *Tomorrow Never Dies*, lle roedd yr arwr enwog yn llithro i lawr y pibellau ar hyd ochr y mynydd. Yn nes adref, yma y gweithiai J O Williams, tad *Llyfr Mawr y Plant*, ac wrth weithio yn yr orsaf y mae'n debyg y cafodd yr ysbrydoliaeth i gyfrannu at greu cymeriadau fel Wil Cwac Cwac a Siôn Blewyn Coch.

Dywedir fod ogof o'r enw Ogof Llanciau Eryri ar lethrau pen uchaf Llyn Llydaw. Wedi i'r Brenin Arthur gael ei ladd ar ben Bwlch y Saethau, dringodd ei filwyr i ben y Lliwedd cyn disgyn i ogof ar ochr Cwm Dyli o'r dyffryn. Llwyddwyd i guddio mynedfa'r ogof ac yno yr aeth y milwyr i ddisgwyl ailddyfodiad Arthur. Ganrifoedd yn ddiweddarach, wrth i fugail ifanc ddilyn ei braidd ar lethrau'r Lliwedd, disgynnodd un o'i ddefaid i'r ogof. Wrth nôl y ddafad goll, gwelodd y bugail fod golau ynghyn a bod llu o filwyr yno'n cysgu ar eu harfau yn barod am frwydr. Tarodd ei ben yn erbyn cloch fawr wrth ddringo allan o'r ogof a deffrodd y milwyr gan floeddio mor uchel ar y bugail nes iddo ffoi lawr y llethrau am ei fywyd.

Llyn Teyrn ydy'r isaf a'r lleiaf o'r tri llyn ar ochr ddwyreiniol yr Wyddfa. Er mai dim ond pum erw yw arwyneb y llyn mae yr un mor ddramatig â'r lleill. Llyn mawnog corslyd yw hwn sy'n gorwedd mewn corstir mynyddig wedi ei amgylchynu gan greigiau dramatig Clogwyn Pen Llechen a Chraig Llyn Teyrn. Ond tueddu i frysio heibio y mae'r cerddwyr ar eu ffordd tua'r rhyfeddodau yn uwch i fyny'r cwm. Efallai mai'r paragleidwyr sy'n gweld y golygfeydd gorau o'r llyn; mae'r ffynhonnau aer poeth sy'n codi oddi ar y creigiau yn eu denu yno'n rheolaidd yn yr haf.

Efallai bod yr hinsawdd fymryn yn fwynach yn Llyn Teyrn nag yn y llynnoedd eraill gan fod olion bythynnod ar lannau'r llyn, cartrefi'r mwyngloddwyr a fu'n gweithio dro yn ôl yn y gweithfeydd

Mae'r llyn yn rhan o orsaf bŵer trydan dŵr Cwm Dyli islaw yn Nant Gwynant. Mae'r dŵr yn cael ei ollwng i lawr o Lyn Llydaw i'r pwerdy trwy bibellau dau gilometr o hyd er mwyn cynhyrchu trydan. Adeiladwyd y pwerdy yn 1905, gan y 'Porthmadog,

copr ymhellach i fyny'r cwm. Daw Llwybr y Mwynwyr heibio i Lyn Teyrn i lawr i Gorphwysfa ym mhen Bwlch Llanberis.

Ychydig yn is na'r llyn mae Bwlch y Gwyddel ar y ffordd o Fwlch Llanberis i Ben y Gwryd. Yn ôl traddodiad bu'r safle'n lleoliad brwydr rhwng y Brythoniaid lleol a'r Gwyddelod oedd yn ymosod o'r gorllewin. Mae'n ymddangos mai'r Gwyddelod a gariodd y dydd gan iddynt wedyn ymsefydlu yn Nant Gwynant islaw.

Possibly Wales's coldest lake, Llyn Llydaw is the largest of the three enclosed by the Snowdon massif horseshoe and overlooked by the Brittania Copper Mill ruins. The landscape has been affected by sporadic copper mining, especially the causeway across the eastern edge completed in 1853 to aid the transportation of ore. According to folklore, soon after King Arthur was killed upon Bwlch y Saethau above the lake, his soldiers found a cave in which they all concealed themselves while awaiting the second coming of Arthur. There they remained until discovered by a shepherd who woke them with an almighty clamour after knocking his head against a giant bell at the cave's entrance. The ensuing thunderous noise of the waking army gave the boy the fright of his life. This is the upper lake of the Cwm Dyli power plant connected to the lake by 2km of pipe on the landscape.

The giant pipeline of Cwm Dyli snakes past Llyn Teyrn, which has a milder microclimate than that of the upper two lakes, hence the ruins of barracks for the mine workers on its banks. At Bwlch y Gwyddel nearby a battle took place between the local Celtic clans and Irishmen who subsequently encamped in a settlement at Nant Gwynant for over a century (see Chapter 5, Llynnau Diwaunydd, for more on this story).

Llyn yr Arddu a Llynnau Cerrig y Myllt

Mae'r ardal rhwng Nant Gwynant a Ffestiniog yn un o'r eangdiroedd mwyaf yn Eryri; yn wir, does fawr o ardaloedd tebyg ar ôl yng Nghymru bellach. Mae'n gyfuniad o weundir corsiog mawnog a mynydd-dir caregog grugog. Gan nad oes llawer o ffyrdd o bwys yn cyrraedd calon y mynydd-dir, na fawr o gopaon o bwys yno, mae'n ddigon ffodus i gael llonydd gan y torfeydd. Mae yma doreth o lynnoedd hefyd, llynnoedd corsiog, bas a brwynog gan mwyaf nad ydynt o fawr bwys i 'sgotwyr na neb arall. I'r ffotograffydd mae'r cyfuniad o lyfnder y llynnoedd a chraster y tirlun dramatig o'u cwmpas yn fendith a does yr un enaid arall i darfu ar y llonyddwch. Diolch i'r Parc Cenedlaethol a'r Ymddiriedolaeth Genedlaethol, mae'r llwybrau cyhoeddus yn wych ac mae cerdded y mynyddoedd hyn yn ysbrydoliaeth.

Y Cnicht ydy prif atyniad mynyddig yr ardal; brawd bach tlawd yw'r Arddu o gymharu. Er hyn, mae'r Arddu'n denu digon o gerddwyr yn ei dro ac mae ei gopa caregog yn ychwanegu cymeriad i'r tirlun. Mae'r copa anghyffredin yn enghraifft dda o olion llosgfynyddol o'r Oes Ordofisgaidd ac mae ffurf y creigiau'n cadarnhau i'r ffrwydradau ar y copa ddigwydd mewn gwirionedd ar waelod y môr.

Mae'r ffordd fechan sy'n rhedeg heb fod ymhell o odrau'r Arddu o Nant Gwynant i Flaen Nantmor yn llwybr gwych i gychwyn teithiau i lynnoedd y Moelwyn. Ond flynyddoedd yn ôl roedd hon yn briffordd o bwys, yn cysylltu ardal Ffestiniog â Chaernarfon. Roedd y darn anghysbell hwn yn llecyn gwych i leidr pen ffordd a dyna oedd Tyrpin Lofrudd. Codwyd pryderon y trigolion lleol ar ôl i deithwyr ddechrau diflannu ar y ffordd. Canfuwyd un corff ar lethrau'r Arddu ac aeth nifer o ddynion lleol i chwilio am y llofrudd. Un diwrnod daeth bugail o fferm Cae Ddafydd o hyd i gawr o ddyn yn cysgu yn yr haul ger Garreg Bengam. Gan ofalu peidio â'i ddeffro aeth y bugail ato a gweld bod ganddo glamp o gleddyf wrth ei ymyl a bod ôl gwaed ar ei wisg. Heb ailfeddwl, penderfynodd mai hwn oedd y llofrudd a chododd ei gleddyf a thorri pen Tyrpin Lofrudd i ffwrdd, yna rhedodd i lawr i'r fferm i alw'r bobol o'r ffermydd cyfagos i weld. Tybiwyd nad oedd ysbail y lleidr yn debyg o fod ymhell o'i gorff ac yn wir, mewn ogof gerllaw, canfuwyd llawer o eiddo ac arfau gwerthfawr. Ni chafodd unrhyw un ei boeni gan leidr pen ffordd fyth wedyn a galwyd yr ogof yn Ogof Tyrpin a'r bryn gerllaw yn Fryn Tyrpin Lofrudd.

Heb fod ymhell o'r Arddu mau dau lyn bychan arall, Llynnau

Cerrig y Myllt. Mae'n nhw'n uchel i fyny mewn llecyn caregog, bron fel dŵr wedi ymgasglu ar gledr llaw y creigiau o amgylch. Mae'r tir yn fawnog a phan fo'r grug yn ei flodau a'r dŵr yn llonydd mae'r lleoliad yn unigryw. Unwaith eto, y llonyddwch sy'n apelio ac er bod llwybr cyhoeddus heb fod ymhell, dim ond y defaid a'r geifr sy'n cadw cwmni i'r ffotograffydd unig hwn!

Llynnau Cerrig y Myllt

Mae chwarel lechi Blaen Nanmor gerllaw yn un enghraifft o'r chwareli bychain sydd yn yr ardal yma o Eryri rhwng y chwareli mawr yn y gorllewin yn Nyffryn Nantlle, Dyffryn Peris a Dyffryn Ogwen a'r bloc enfawr yn Ffestiniog i'r dwyrain. Roedd y llechi o safon is yn yr ardaloedd hyn ac yn dueddol o fod yn feddalach ac yn anoddach i'w hollti'n denau i greu llechi toi. Er hyn mae mwy o amrywiaeth lliw yn y cerrig a maent yn apelio fel deunydd addurniadol ar gyfer gerddi erbyn hyn ac mae nifer o chwareli bychain annibynnol yn dal i weithio yma ac acw.

Uwchlaw'r llyn, rhwng y Cnicht a Mynydd Castell mae bwlch o'r enw Bwlch Battel. Yma yn ystod y rhyfel rhwng Tŷ Efrog a Thŷ Lancastr am orsedd Lloegr (Rhyfel y Rhosynnau) y bu brwydr rhwng Ieuan ap Rhobert a Iarll Penfro. Iarll Penfro oedd yn fuddugol a bu'n rhaid i Ieuan guddio ym mynyddoedd Eryri. Roedd Ieuan, ar y cyd â Dafydd ab Siencyn, ill dau yn ymladdwyr enwog ar ran y Lancastriaid yn yr ardal. Bu iddynt losgi tref Dinbych a lladd y Barwn Coch trwy ei drywanu gan gadw'r gyllell i'w dangos, a'r gwaed yn dal arni. I dalu'r pwyth, anfonodd Iorwerth IV Iarll Penfro a'i luoedd i ddifetha Meirionnydd a thref Caernarfon ac i ddathlu'r orchest trefnwyd gwledd ar gaeau cyfagos. Ond yr oedd Dafydd yn eu gwylio'n paratoi'r wledd o'i guddfan mewn ogof a dechreuodd saethu atynt nes iddynt ffoi. Bu Dafydd wedyn yn ddigon hy i fwyta arlwy'r wledd ei hun. Trodd y llanw, fodd bynnag, a chollodd Ieuan y frwydr ger Llynnau Cerrig y Myllt a chuddio mewn ogofâu yn ucheldir Eryri fu ei dynged.

Llyn yr Arddu and Llynnau Cerrig y Myllt are three of several small lakes near Y Cnicht, a vast area of wilderness stretching from Nant Gwynant to the Ffestiniog valley, punctuated only by the back road from Nant Gwynant to Blaen Nanmor. Formerly a vital route connecting Ffestiniog with the Arfon region, an infamous highway robber was known to roam here. It was noticed that several travellers had gone missing near Llyn yr Arddu. A local boy found a body in the hills and noticed that the corpse had been robbed. A local team was organized to find the culprit and, eventually, a boy found the suspect sleeping near a cave with his head resting on a rock, his sword nearby. In a flash, the boy grasped the sword, raised it high and in one sweep severed the robber's head. Loot from several robberies were found in the cave. No one was bothered along this lane again.

Although far from being scarred to the same extent as the slate quarrying capitals of Snowdonia, this area has several small-scale inferior quality mines, some of them producing pleasant-looking decorative coloured stone. Nearby at Bwlch y Battel the name commemorates a battle during the War of the Roses between the forces of the Earl of Pembroke and Ieuan ap Rhobert. After several altercations, including burning the town of Denbigh to the ground, the prominent Lancastrian Ieuan was finally beaten near Llynnau Cerrig y Myllt and was left to spend the rest of his days hiding in Snowdonia, moving from cave to cave.

Llyn y Biswail a Llyn yr Adar

Ychydig i'r gogledd-ddwyrain o'r Cnicht mae Llyn y Biswail yn gorwedd ar waelod clogwyn garw sy'n arwain i'r copa. Mae Foel Boethwel i'r gogledd ddwyrain a'r llyn yn gorwedd bron yn y bwlch.

Mae'r enw hyd heddiw'n swnio'n eithaf anffodus os nad yn anghynnes! Mae'r tarddiad yr un mor amheus. Mae'n debyg fod biswail yn derm amaethyddol am ddail gwlyb yn llawn o droeth (pi-pi!) a defnyddid y term (mewn ffordd hynod o amharchus!) i gyfeirio at y Saeson. Gan fod llecyn ar lan y llyn lle yr oedd y Saeson yn aml yn gwersylla mae'n debyg mai fersiwn amharchus o'r term 'Llyn y Saeson' yw hwn a thros y canrifoedd mae'r enw wedi ei dderbyn ac yn wir wedi ei barchuso i raddau.

Gall neb deithio i'r rhan hon o Eryri heb ryfeddu at y Cnicht. Er ei fod yn eithaf mawreddog o gyfeiriad Llyn y Biswail i'r dwyrain, o'r gorllewin y mae'r Cnicht yn edrych ar ei orau. Wrth groesi Cob Porthmadog, neu yn wir o unrhyw ongl yn Aberglaslyn, mae'r Cnicht yn byramid perffaith. Cyfeirir ato yn aml fel Matterhorn bach gan nad oes llawer o fynyddoedd tebyg iddo yn Ewrop. Er ei fod yn edrych yn hynod o serth o bob cyfeiriad, mae ei ddringo o Groesor yn gymharol hawdd ac nid yw'n dod yn agos at fod yn un o gopaon uchaf Eryri – ond

does dim dwywaith ei fod yn uchel iawn ar restr hoff gopaon Eryri pawb. Credir fod yr enw'n deillio o'r gair *cnight*, sef helmed milwr, sy'n cyfeirio at ei siâp. Yr un gair a aeth ymlaen i fod yn *knight* yn Saesneg.

Llyn yr Adar ydy'r uchaf o'r llynnoedd yn yr ardal hon o Eryri ac mae'n gorwedd mewn pant bas ar grib dwyreiniol y Cnicht i

Llyn y Biswail

bob pwrpas, ychydig o dan Foel Boethwel. Fel nifer o lynnoedd mynyddig Eryri, mae ynys fechan yn codi o'r dŵr a'r gwylanod sy'n llochesu yno sy'n rhoi ei enw i'r llyn. Mae Llyn yr Adar yn gymharol agos i'r arfordir, ychydig filltiroedd o Fae Tremadog, ac mae'n gyffredin i adar arfordirol gysgodi ar y tir mawr mewn tywydd stormus.

Sitting on a saddle of land between Cnicht and Foel Boethwel, Llyn y Biswail is somewhat subversively named after urine-soaked animal bedding straw. Whether this was a derogatory term for the peoples of Anglo-Saxon origin who used to camp on its shores is not known. The name Cnicht is thought to derive from 'cnight', once the word for a soldier's helmet, hence the development of the word 'knight'. Y Cnicht is deemed to resemble the form of a knight's helmet. From the West the peak looks almost like a pyramid and is often nicknamed the Matterhorn of Wales.

Named after the birds, mostly gulls, nesting on the island in the lake, Llyn yr Adar is only a few miles from Tremadog Bay as the crow (or gull) flies. Coastal birds such as seagulls tend to move inland during periods of rough weather although the common gull has adapted well to the scavaging lifestyle of inland areas.

Llyn Llagi, Llynnau'r Cŵn a Llyn Edno

Mae Llyn Llagi yn un arall o lynnoedd anghysbell y Moelwyn er bod llwybr cyhoeddus poblogaidd yn rhedeg heb fod ymhell o'r llyn ble gellir cerdded o Lyn Dinas yn Nant Gwynant yr holl ffordd i Gwm Orthin yn Ffestiniog – dyma enghraifft o un o'r goreuon o lwybrau cerdded hir Eryri.

Mae olion gweithfeydd chwarelyddol i'w gweld ar lan y llyn. Doedd chwarel lechi Llyn Llagi yn fawr o lwyddiant chwaith, rhan o hanes sy'n nodweddu'r ardal hon – gweithfeydd arbrofol yn chwilio am graig ddefnyddiol i'w gweithio yn hytrach na gweithio'n broffidiol i gynhyrchu llechi to. Bu

Llyn Llagi

perchennog Chwarel Hafod y Llan yn cloddio ger y llyn yn ystod chwedegau'r bedwaredd ganrif ar bymtheg ond arbrawf oedd y cynllun. Er hyn, erbyn 1915 roedd y chwarel wedi cyflogi chwech o ddynion ond prin, diolch byth, ydy'r creithiau.

Yn ôl y sôn roedd Llyn Llagi yn safle crannog. Er nad oes prawf o hyn – does ond un wedi ei gadarnhau yng Nghymru, yn Llyn Syfaddan ger Crughywel ym Mannau Brycheiniog – mae'n bosib y bu i un fodoli yn Llyn Llagi. Crannog oedd math o dŷ a geid yn gyffredin yn nifer o'r gwledydd Celtaidd, yn enwedig yr Alban ac Iwerddon, a oedd yn cael eu codi ar bolion yn y dŵr. Tai oeddynt a oedd yn ddigon mawr i ddal teulu go helaeth gyda lle i fyw a chysgu. Roedd hi'n gampwaith o beirianneg yn yr oes honno i godi'r cranogau yn y lle cyntaf ac roedd eu safleoedd yn amddiffynfa wych rhag anifeiliaid ac ati. Efallai i'r crannog yn Llyn Llagi gael ei godi o gerrig wedi eu gosod yn y dŵr i ffurfio ynys fechan; dyma'r ffurf fwyaf cyffredin mewn ardaloedd mwy anial. Roedd y traddodiad o godi crannog yn rhan o ddiwylliant y bobol *Bell-Beaker* a fu'n byw rhwng 2400 CC a 1800 CC yn yr Oes Efydd. Cred rhai mai'r bobol fychan hyn a'u hofn o'r haearn yn arfau eu concwerwyr oedd y sail ar gyfer y tylwyth teg a'u holl chwedlau. Mae'n bosib bod rhai dywediadau Cymraeg fel 'bobl bach!' a 'bobl annwyl' yn cyfeirio'n ôl at gyfnod cyn hanes ac mai'r pobloedd o'r Oes Efydd sydd wedi troi ar lafar ac mewn chwedloniaeth i fod yn dylwyth teg.

Mae Llynnau'r Cŵn yn llynnoedd bychain iawn sy'n gorwedd yn uchel yng nghesail yr Ysgafell Wen ar ben uchaf cwm Blaenau Dolwyddelan, rhwng y Cnicht a Moel Siabod. Mae'r llynnoedd bas dros 2000 troedfedd uwchlaw lefel y môr ac meant yn rhewi'n

Llynnau'r Cŵn

soled ar nosweithiau oer cyntaf pob gaeaf. Islaw, ym Mlaenau Dolwyddelan, mae tarddiad afon Lledr sy'n un o gyfranwyr dŵr pennaf afon Conwy; mae'r ddwy'n uno islaw Betws-y-coed. Ger Dolwyddelan croesa pont Rufeinig yr afon, rhan o lwybr enwog Sarn Helen a oedd yn fersiwn Rhufeinig o'r A470, i uno de a gogledd Cymru. Roedd y ffordd yn rhedeg o Aberconwy yn y gogledd i Gaerfyrddin yn y de, pellter o tua 160 milltir. Dyma'r man lle roedd y ffordd yn croesi o ardal Dolwyddelan/Penmachno i gyffuniau Ffestiniog cyn arwain i Domen y Mur ger Trawsfynydd. Cawn fwy o sôn am Sarn Helen yn ddiweddarach ym mhenodau Trawsfynydd a Dyffryn Conwy.

Roedd Llyn Edno, fel nifer helaeth o lynnoedd y Moelwyn, yn bwysig i chwareli bychain yr ardal. Codwyd lefel y llyn er mwyn cyflenwi dŵr i chwarel Coed Mawr.

Mae yna bennod drasig iawn yn perthyn i hanes Llyn Edno hefyd. Ar y 10fed o Ionawr 1952 roedd awyren Dakota yn eiddo i Aer Lingus yn hedfan o faes awyr Northolt ger Llundain ar ei thaith i Ddulyn. Ond wrth groesi Eryri daeth i gwrdd â chynnwrf yn yr aer o gyfeiriad yr Wyddfa. Prin bedair milltir o fynydd mwyaf Cymru, plymiodd yr awyren i gorstir ger Llyn Edno. Lladdwyd y 23 oedd arni, 20 o deithwyr a thri aelod o'r criw. Hon oedd damwain awyr angheuol gyntaf cwmni Aer Lingus. Mae llawer o'r gweddillion yn dal yn y gors a ni fu'n bosib canfod cyrff y meirw i gyd.

A prominent rock, Craig Llyn Llagi dominates the landscape and Llyn Llagi sits in its shadow most of the year. It is thought to be the site of a Crannog, a Bronze Age settlement of the Bell-Beaker people built on rocks hauled to form an island in the lake. Crannogs were common in most Celtic countries but rarely found in Wales. The Bell-Beakers – short in stature, associated with water and with an aversion to the iron of conquering invaders – are thought to have inspired the *tylwyth teg*. Although slate mining has somewhat scarred the landscape locally, the quarry on the banks of this lake was a failure and Llyn Llagi has thus survived the ravages of this industry.

Most of the lakes in this part of Snowdonia are remote; Llynnau'r Cŵn are located high above Nant Gwynant and Blaenau Dolwyddelan and perched between y Cnicht and Moel Siabod. Down to the east in the valley below the Roman highway of Sarn Helen meanders past, a Roman equivalent of the A470 connecting Aberconwy in the north with Carmarthen in the south.

Llyn Edno also had its levels raised and subsequently lowered for the provision of water to the mining industry, this time to feed Coed Mawr quarry nearby. A major aircraft accident happened by the shores of the lake when an Aer Lingus craft travelling from London to Dublin encountered turbulence above Llyn Edno and crashed into the peaty bog. All 23 on board were killed; some bodies were never recovered.

Llyn Cwm y Foel, Llynnau Diffwys a Llyn Croesor

Cwm unig, diarffordd yw Cwm y Foel, cwm crog fel petai uwchlaw Cwm Croesor. Llyn Cwm y Foel oedd tarddiad y pibellau dŵr a fu'n cyflenwi gorsaf bŵer Croesor islaw. Roedd gorsaf drydan Blaencwm yn cynhyrchu trydan am bron i hanner can mlynedd yn ystod oes y chwarel ac yn ddiweddarach, ond dirywiodd adeilad yr orsaf i gyflwr gwael dros y blynyddoedd. Gadawyd i'r peipiau bydru yn y ddaear a rhaid fu torri'r wal a fu'n dal y dŵr yn y pen draw a chafodd adeilad yr orsaf ei addasu'n ganolfan i'r Urdd. Bellach, wedi gwariant o bron i filiwn o bunnoedd, mae'r wal wedi ei thrwsio, y peipiau wedi eu hailosod ac mae'r orsaf yn cynhyrchu trydan dŵr cynaliadwy a gwyrdd. Mae 500kW o drydan yn cael ei gynhyrchu o'r orsaf erbyn hyn.

Does dim prinder cysylltiadau rhwng mynyddoedd Eryri a gwrthryfel Owain Glyndŵr. Bu Llys Dafydd y Foel uwchlaw'r llyn yn ôl y sôn yn safle cadarnle i ran o fyddin Owain Glyndŵr yn ystod blynyddoedd ola'r gwrthryfel. Defnyddiwyd y lleoliad anghysbell gan y fyddin i ailymffurfio yn dilyn colledion mewn brwydrau ac roedd ei safle'n eithaf canolog i drefnu ymgyrchoedd newydd yn y gorllewin.

Er bod y llynnoedd bychain hyn ynghanol system Cwm Croesor o lynnoedd a'r holl dreftadaeth ddiwydiannol sy'n gysylltiedig â'r ardal, mae Llynnau Diffwys wedi eu harbed rhag yr amharu a fu ar lynnoedd cyfagos. Cymharol ddi-nod yw'r llynnoedd ac anghysbell braidd yw eu lleoliad, er bod llwybr poblogaidd yn rhedeg ar hyd eu glannau sy'n croesi'r Moelwyn o ardal Ffestiniog yn Nhanygrisiau i Gwm Croesor. Mae system llynnoedd arall gerllaw ar y Moelwyn gan gynnwys rhyfeddodau diwydiannol Cwm Orthin ond, ar hyn o bryd, mae'r llynnoedd hyn y tu allan i Barc Cenedlaethol Eryri.

Ym mhen uchaf Cwm Croesor mae olion chwareli llechi helaeth yn codi'n serth tua ardal Ffestiniog, ond gan fod y gwaith yng Nghwm Croesor wedi dod i ben ddegawdau cyn y rhan fwyaf o'r gweithfeydd yn ardal Ffestiniog, mae natur wedi llwyddo i ad-ennill y tirlun. Er bod treftadaeth ddiwydiannol yn hanfod o dirlun Cymru, yn wir y chwareli a'r pyllau sydd wedi ein llunio fel cenedl, wrth ymweld â chwm mor hardd â Chwm Croesor mae'r creithiau'n hagru'r tirlun heb os. Llyn bychan yw Llyn Croesor ym mhen pellaf y cwm, ychydig uwchlaw'r chwarel. Golyga hyn ei fod yn adnodd gwych wrth ddatblygu'r chwarel ac mae hyn yn ei dro wedi effeithio ar y llyn. Cafodd ei ymestyn dros y blynyddoedd ac ar ôl codi argae i gronni mwy o ddŵr roedd yn hanfodol i redeg y chwarel o ddydd i ddydd. Dros y blynyddoedd dirywiodd ei ddylanwad fel cronfa a rhaid fu gostwng lefel y dŵr am resymau diogelwch. Mae'n debyg fod y lefelau yn eithaf tebyg i'r lefelau naturiol erbyn hyn er y cymer ganrifoedd i natur guddio olion chwarel Cwm Croesor yn gyfan gwbl.

Mae Chwarel Croesor yn chwarae rhan bwysig yn hanes diwydiannol Cymru ac ers ei hagor yn 1846 mae wedi arloesi mewn sawl ffordd. Hi yw'r unig chwarel yng Nghymru i weithio bron yn gyfan gwbl o dan ddaear a dyma'r chwarel gyntaf i ddefnyddio trydan yn 1901 i redeg peiriannau (yn wir, dan reolaeth arloesol Moses Kellow, roedd Chwarel Croesor yn cynhyrchu ei thrydan dŵr ei hun o gronfa Llyn Cwm y Foel). Yma y defnyddiwyd y *Kellow Drill* i dyllu'r graig am y tro cyntaf gan harneisio nerth dŵr er mwyn drilio. Roedd yr hen ddriliau'n defnyddio aer dan bwysau i naddu a gyrru'r peiriant ond roedd peiriant Moses Kellow yn rhagori mewn effeithlonrwydd ac mewn un ffordd arall hefyd – câi'r dŵr ei ddefnyddio i olchi'r gwastraff o'r twll ac roedd hynny'n llesol iawn i arbed iechyd y chwarelwyr. Mae'r inclên yn hynod ac yn un o'r rhai hiraf yng ngogledd Cymru. Wedi cau'r chwarel yn y 1930au

Llyn Cwm y Foel

defnyddiwyd y ceudyllau tanddaearol anferth gan gwmni Cookes Explosive ym Mhenrhyndeudraeth i storio ffrwydron cyn i'r cwmni chwarel fethu â chael caniatâd cynllunio i'w hailagor fel chwarel lechi yn y 1970au.

Ni ellid sôn am Gwm Croesor heb daro golwg ar lyfryddwr a chasglwr llyfrau enwocaf Cymru, Bob Owen, Croesor. Roedd yn gasglwr mor frwd fel nad oedd modd symud yn ei dŷ bychan ym mhentref Croesor a dôi tripiau Ysgol Sul ac ati o bell ac agos i weld yr holl lyfrau. Dywedir i Bob a'i briod Nel dreulio eu mis mêl yn y Llyfrgell Genedlaethol yn Aberystwyth!

Llyn Cwm y Foel was the first of numerous lakes in the area to produce electricity through the power of water, originally for the quarry through the Blaencwm power station. Having provided electricity for over fifty years, the plant fell to disrepair. The pipes were left to rot in the ground and the station was converted into an outdoor pursuit centre for the Urdd. Recently however, thanks to a million pound investment, green power is once more being produced by the lake and its power station. 500kW of clean electricity can be contributed to the National Grid whenever needed.

A rarity in this part of Snowdonia, Llynnau Diffwys have been left alone by the needs of industry over the years, although the nearby series of lakes at Cwm Orthin have not, but at present these lakes are outside the boundaries of the National Park.

Llyn Croesor sits above Bwlch Rhosydd which is the westernmost extent of the Ffestiniog slate quarries. The area surrounding the lake has by now mostly been reclaimed by nature and the breaching of the dam for safety reasons has lowered the water closer to its original level. The lake provided water for the pioneering Croesor quarry which, under the leadership of Moses Kellow, became the only quarry in Snowdonia to operate wholly underground. It was also the first to use electricity for power, the first to use the Kellow Drill – a drill that used water under pressure to bore a hole and simultaneously flushed the debris away (thereby improving working conditions markedly) and boasted the longest gravity incline in north Wales. Nearby Croesor was the home of one of the most famous bibliophiles in Wales. Bob Owen's small house contained so many books that trips were organized to see his collection. He is reputed to have spent his honeymoon at the National Library of Wales in Aberystwyth!

Llyn Croesor

5
Dyffryn Mymbyr
a Betws-y-coed

Llynnau Mymbyr

Llyn Lockwood (Llyn y Gwryd) a Llynnau Mymbyr

Prin yw'r cerddwyr sy'n teithio trwy Eryri'n rheolaidd sy'n gwybod p'run yw Llyn Lockwood ond mae'r enw Cymraeg yn cynnig gwell cliw i'w leoliad. Dyma'r llyn bychan yn union gyferbyn â gwesty Pen y Gwryd ger un o gyffyrdd prysuraf Eryri. Mae hanes y llyn yn glwm wrth y gwesty, fel y cawn glywed, ond ffermdy oedd y gwesty'n wreiddiol tua 1811 a daeth yn dafarn yn fuan wedyn dan ofal John Roberts o Lanberis. Gwerthodd y dafarn yn 1840 ac aeth i geisio bywyd gwell yn America. Ar ôl cyfnod John Roberts datblygodd y dafarn gysylltiadau cryf â mynydda a sefydlwyd y Climbers Club yno. Daeth i berchnogaeth William Hampson ac Arthur a Florence Lockwood ar ddechrau'r ugeinfed ganrif a'i ddatblygu'n westy. Roedd ei safle ar ymyl y briffordd yn hanfodol i'w lwyddiant (rhaid cofio bod y priffyrdd ar y pryd o ogledd-ddwyrain i ogledd-orllewin Cymru yn croesi'r mynyddoedd yn hytrach na glynu at yr arfordir) ac wrth ei addasu crëwyd llyn gerllaw a'i stocio â brithyll. Mae sôn i Arthur Lockwood ddefnyddio platiau haearn o hen long danfor Almaenig, a oedd yn cael ei darnio ym Mhorthmadog, fel sylfaen i'r wal sy'n dal y llyn yn ei le. Ac yn wir mae darnau o beirianwaith eithaf diwydiannol yr olwg i'w gweld yn rhydu ger y llyn hyd heddiw.

Daeth y gwesty i enwogrwydd byd-eang fel canolfan hyfforddi'r tîm a aeth ymlaen i goncro Everest yn 1953. O'r gwesty hwn yr aeth Syr Edmund Hillary, Tenzing Norgay ac eraill i brofi offer anadlu ocsigen yn Helyg ger Capel Curig. Defnyddiodd y mynyddwr Chris Bonington hefyd y gwesty fel canolfan hyfforddi. Yn anffodus, wrth i Arthur Lockwood a'i bartneriaid ymestyn gwesty Pen y Gwryd a chreu Llyn y Gwryd, amharwyd yn helaeth ar olion caer Rufeinig yn dyddio o'r ganrif gyntaf OC. Bu'r gaer yn sefydliad eithaf helaeth ar un adeg ac yn wersyll gorffwys i filwyr yn teithio i Segontium yng Nghaernarfon. Bellach mae rhan ogleddol y gaer yn gorwedd o dan stafell fwyta'r gwesty a'r rhan ddwyreiniol o dan y llyn.

Mae Llwybr PYG yn un o lwybrau mwyaf poblogaidd yr Wyddfa

wrth gwrs, ond does dim cysylltiad â moch yn yr enw – daw'r enw o darddiad Llwybr Pen y Gwryd, wrth gwrs. Wrth edrych tua'r Wyddfa o Gapel Curig gwelwn un o unigeddau harddaf Cymru. Ar lawr y dyffryn mae dau lyn Mymbyr yn cysgodi dan glogwyni Moel Siabod ac mae un o brif lwybrau'r mynydd yn cychwyn o lannau'r llynnoedd. Un llyn sydd yma mewn gwirionedd gan fod delta o gerrig mân wedi ymestyn i ganol y llyn ar yr ochr ogleddol. Yn ystod cyfnodau sych mae'r llyn yn ymrannu i ddau ac ymhen hir a hwyr bydd yna raniad parhaol rhwng y ddau lyn wrth i fwy a mwy o gerrig mân gael eu golchi gyda'r ffrwd o'r mynyddoedd.

Plas y Brenin yw un o adeiladau amlycaf ardal y llyn, adeilad sydd wedi ei ymestyn yn helaeth dros y blynyddoedd. Mae hanes Plas y Brenin yn cychwyn pan aeth Richard Pennant, Barwn cyntaf Stad y Penrhyn, ati i godi ffordd newydd i gysylltu gogledd-orllewin Cymru â Lloegr (gweler Llyn Ogwen am hanes y cynllun rhyfeddol yma) ond roedd y ffordd yn arwain o Fangor i Fetws-y-coed cyn cael ei datbygu'r holl ffordd i Amwythig yn y pen draw. Cwblhawyd y gwaith erbyn 1798 a chan weld ei gyfle i ddarparu llety i deithwyr blinedig, fe agorodd y Capel Curig Inn yn 1801. Yn ei dro, roedd hyn yn gymorth i'r llwybr post ddod heibio ar ei ffordd o Lundain i Gaergybi o 1808 ymlaen. Er bod y gwesty gryn bellter oddi wrth yr A5, llwybr terfynol y lôn bost, roedd yn boblogaidd oherwydd yr olygfa tua'r Wyddfa a'i chriw dros Lynnau Mymbyr. Cafodd ei ailenwi yn nechrau'r bedwaredd ganrif ar bymtheg a'i alw'n Royal Hotel. Bu'r gwesty'n fan aros i enwogion lu dros y blynyddoedd gan gynnwys y Frenhines Fictoria, Iorwerth VII, Siôr V ac Iorwerth VIII. Ymhlith rhai eraill a arhosodd yno mae Samuel Wilberforce, Arglwydd Byron a Walter Scott. Roedd nifer o'r enwogion wedi naddu eu henwau ar ffrâm y ffenest yn y bar ac roedd yr enwau i'w gweld yno hyd at ganol y 1970au. Wrth i'r gwesty gael ail fywyd fel canolfan fynydda wedi i'r Ymddiriedolaeth Hyfforddi Mynydda brynu'r safle yn 1955, cafodd yr enw Plas y Brenin ei fathu er cof am Frenin Siôr VI ac erbyn hyn mae'n un o brif ganolfannau hyfforddi awyr agored Prydain.

Mewn stori dylwyth teg ddifyr sy'n rhan o draddodiad chwedlonol y llyn mae mam ifanc yn geni babi mewn tymor o

Llyn Lockwood (Llyn y Gwryd)

Llynnau Mymbyr

gyrchfan i lawer sy'n chwilio am wŷr doeth mewn chwedlau!) a chafodd ei chynghori i ffurfio croes mewn trwch o halen ar gefn rhaw a chynhesu'r rhaw ar dân yn llofft y plentyn nes fod yr halen yn llosgi. Yn wir fe weithiodd y tric ac fe ddiflannodd babi'r tylwyth teg ar amrantiad ac ymddangosodd y babi gwreiddiol mewn basged ar drothwy'r drws heb ei anafu.

The history of Llyn Lockwood is linked to the development of the Pen y Gwryd Hotel across the road. Originally a farmhouse, it was converted into a tavern early in the 19th century and upgraded to a hotel soon after. Under the ownership of Arthur Lockwood the hotel was extended and the lake formed and stocked with trout for the pleasure of hotel guests. The dam was built with the acquisition of steel plates from the scrapping of a German submarine in Porthmadog (some of which can still be seen). Unfortunately the lake and dining room extension were built on parts of the remains of a Roman fortress, in its time an important staging post on the route to Segontium in Caernarfon. The hotel is famous as a base for the preparations towards the first ascent up Everest by Hillary and Tenzing.

From Llynnau Mymbyr looking west we see possibly the most famous of all the views in Snowdonia with the horseshoe form of Crib Goch, Snowdon and Lliwedd. The lakes that form the foreground to this view are almost one body of water only separated by a delta of debris. Nearby Plas y Brenin developed as a coaching inn at the turn of the nineteenth century when the postal route was developed to run east to west through the mountains. The development of the route was pressed ahead by Lord Penrhyn and visitors to the inn included Queen Victoria, Edward VII, George V, Edward VIII, Samuel Wilberforce, Lord Byron and Walter Scott – some had etched their names on the window frame in the bar and the names were still visible until the window was replaced recently. The familiar story where the *tylwyth teg* steal a baby, replacing it with a screaming substitute, is linked with the lake. The magic of a wise man from Trawsfynydd was called upon to get the original baby back.

gynhaeaf gwael. Mae'n gadael y babi yng ngofal ei mam tra'i bod yn mynd allan at y cynhaeaf. Ond mae'r nain yn disgyn i gysgu ac mae'r tylwyth teg yn dwyn yr un bach gan adael yn ei le fabi bach crintachlyd sy'n edrych fel hen ŵr. Mae'r fam yn ymweld â gŵr doeth yn Nhrawsfynydd (mae Trawsfynydd, yn rhyfedd iawn, yn

Llynnau Diwaunydd

Llynnau Diwaunydd a Llyn y Foel

Llyn y Foel

Ynghudd yn y Moelwyn, dan gysgod pyramidaidd Moel Siabod, mae'r ddau lyn Diwaunydd bron o olwg pawb ac yn eithriadol o anghysbell. Maent yn gymharol fawr a dwfn am lynnoedd mynydd ac mae cysylltiad rhwng y llynnoedd hyn â Llyn Teyrn ym Mhen y Gwryd. Os cofiwch, bu brwydr ger Llyn Teyrn rhwng y Brythoniaid lleol a'r Gwyddelod oedd yn gwersylla yn Nant Gwynant islaw mewn lle a nodir hyd heddiw ar y mapiau OS yn Bwlch y Gwyddel. Mae'n debyg i'r frwydr dorri ar deyrnasiad 129 mlynedd y Gwyddelod yn y dyffryn ac iddynt ffoi dros Fwlch y Rhediad rhwng Carnedd y Cribau a Moel Meirch. Yn anffodus cawsant i gyd eu lladd ar lannau Llynnau Diwaunydd. (Mae Geraint Roberts yn ei lyfr *The Lakes of Eryri* yn mynnu bod ystyr Diwaunydd yn tarddu o'r gair 'dywenydd' s'yn golygu llawenydd – y llawenydd o ladd y Gwyddelod!) Mae hanes y Gwyddelod yn yr ardal yn ddifyr dros ben. Ymosododd y Cymry arnynt sawl gwaith ond roedd eu rhwydwaith o dyrau gwylio ar sawl codiad tir yn fodd iddynt amddiffyn eu hunain yn llwyddiannus droeon. Yn y diwedd llwyddodd y Cymry i orchfygu'r Gwyddelod wrth iddynt ymosod ar y gwersyll a chanfod bod y gwyliwr yn cysgu. Lladdwyd hwnnw'n syth gan adael rhwydd hynt i'r Cymry. Ffodd y Gwyddelod ac fe'u gorchfygwyd wrth y llynnoedd yma yng nghesail Moel Siabod. Er nad oes llawer o olion o fodolaeth y Gwyddelod, nac yn wir fawr o gofnod pa bryd y daethon nhw i fyw i Nant Gwynant, maent wedi gadael eu hôl ar enwau lleoedd. Eisoes clywyd sôn am Fwlch y Gwyddel a Bwlch Rhediad, ac yn wir Llynnau Diwaunydd eu hunain, ond hefyd ceir Clogwyn y Gysgfa yn Nant Gwynant lle bu i'r gwyliwr anffodus gau ei lygaid am funud neu ddau!

Mae'n debyg mai Moel Siabod, un o gopaon amlycaf y rhan hon o Eryri, sy'n rhoi ei enw i Lyn y Foel gan fod y foel yn codi'n dalog o lannau'r llyn. Mae enw arall i'r llyn yn lleol, sef Llyn Llygad yr Uch, enw a gysylltir â hanes yr Afanc yng Nglaslyn ym mhennod 4. Moel Siabod yw'r copa uchaf mewn cyfres o fynyddoedd sy'n cynnwys y Moelwynion ac oherwydd ei safle amlwg ar ei ben ei hun mae'r golygfeydd trawiadol yn boblogaidd iawn gan gerddwyr. Gellir gweld 13 o 14 copa uchaf Eryri o'i frig ac mae'r golygfeydd yn ymestyn cyn belled â'r gororau i'r dwyrain. Fel nifer o fynyddoedd yr ardal, mae Moel Siabod wedi achosi damweiniau i nifer o awyrennau mewn tywydd garw. Mor ddiweddar â 1979 tarodd awyren Cessna 337A yn erbyn copa'r mynydd mewn niwl trwchus gan ladd y chwech oedd arni. Roedd yr awyren yn teithio o faes awyr Coventry ac ar ei ffordd i Douglas, Ynys Manaw, pan gollodd y peilot olwg ar ei gwrs. Roedd yn teithio bellter i'r gorllewin o'i lwybr cywir ac roedd yn is na'r hyn a dybiai.

Mae Moel Siabod hefyd yn enwog am ei flodau prin ac roedd hyn yn ddigon i gynnau diddordeb y chwarelwr lleol Evan Roberts mewn blodau a byd natur a daeth i fri ym maes Botaneg yn yr ugeinfed ganrif. Cafodd ei eni a'i fagu yng Nghapel Curig ac fe'i haddysgodd ei hun ym maes y gwyddorau. Gweithiodd ar hyd ei oes yn ei filltir sgwâr gan ennill gradd MSc er anrhydedd ac MBE am ei gyfraniad i Fotaneg.

In the pyramidical shadow of Moel Siabod, there is a strong mythological link with Llyn Teyrn. The aftermath of the battle between the Britons and the Irish invaders in Nant Gwynant led them to flee over Bwlch y Rhediad but they were ambushed by this lake and were slain. There is no historical record of when exactly the Irish settled here but their reign lasted over a century and memories remain in several place names in Nant Gwynant.

'Y Foel', of course, refers to Moel Siabod, the conical peak rising from the lake and a vastly popular climb with hikers. From its summit, 13 of the 14 highest peaks of Snowdonia can be seen as well as the Marches and beyond. A local hero was one Evan Roberts, a slate quarryman who rose to become a botanic expert after taking an interest in wild flowers. He was awarded an honorary MSc degree and an MBE for his services to Botany despite being completely self-taught.

Llyn Bychan a Llyn Goddionduon

Er bod Llyn Bychan yn disgyn o fewn ffiniau Coedwig Gwydir, mae'n ddigon uchel yn y mynydd-dir ac nid amharwyd arno gan y diwydiant mwyngloddiau. Llyn naturiol yw hwn a rheolir ei lefelau gan y gymdeithas bysgota leol ond does fawr ddim yn amharu ar ei dawelwch. Pysgota yw'r atyniad y dyddiau hyn ac er bod y llyn yn anghysbell mae'n boblogaidd iawn gan bysgotwyr brithyll.

Llyn Bychan

Un arall o'r llynnoedd bychain o fewn trwch Coedwig Gwydir yw Llyn Goddionduon; mae'n eithaf anghyffredin o'i gymharu â'r lleill gan ei fod yn hollol naturiol. Er bod y coedwigoedd o amgylch yn ymddangos ar yr olwg gyntaf yn hollol ddiarffordd,

maent yn gyrchfan i nifer o grwpiau awyr agored. Mae pysgotwyr brithyll yn cael eu denu yno ynghyd â cherddwyr, beicwyr, rhedwyr a chyfeirianwyr gyda nifer o gystadlaethau cenedlaethol yn cael eu cynnal yn yr ardal. Ers blynyddoedd bellach mae'r fyddin yn defnyddio'r ardal i gynnal ymarferion mynydda ac mae'r llyn yn chwarae ei ran fel lle i gynnal digwyddiadau yn ogystal â bod yn ffynhonnell ddŵr. Ers degawdau, mae gwersyll ymarfer ychydig yn is na'r llyn ar ochr yr A5. Mae'n eiddo i'r Weinyddiaeth Amddiffyn ac yn cynnig cyrsiau hyfforddi i aelodau o'r Fyddin, y Fyddin Diriogaethol yn ogystal â chadetiau ifainc. Sgiliau mynydda ydy prif arbenigedd y ganolfan ac mae Capel Curig yn gyffredinol yn cael ei gysylltu â mynydda.

Yn ôl y sôn, cyfarfu gyrrwr coets fawr o un o westai Capel Curig â'r diafol un noson wrth ymyl Llyn Ogwen. Roedd Capel Curig, fel Betws-y-coed, yn ganolfan o bwys i deithwyr ac roedd diwylliant y goets fawr a'r lôn bost yn bwysig i'r pentref. Roedd nifer o'r gwestai'n cyflogi gyrrwyr i gludo teithwyr o gwmpas. Yn ôl y stori roedd un o'r gyrwyr, Dafydd Roberts, ar ei ffordd 'nôl ar y lôn bost i Fangor ac yn mynd heibio i Lyn Ogwen pan welodd wr bonheddig yn chwarae cardiau ar ochr y ffordd. Cynigiodd Dafydd le iddo ac wrth i'r gŵr ddringo i lawr o'r goets fawr ar ben ei daith sylwodd fod ganddo draed anifail a ffork yn y carnau. Dychrynodd wrth sylweddoli mai'r diafol fu'n teithio ar y goets a dywedodd wrtho y byddai wedi gorfod cerdded petai'n gwybod hynny. Y noson honno, bu'r ceffylau'n chwysu'n ddi-baid mewn dychryn, eu crwyn yn ewyn i gyd, a llenwyd y stabl gan oglau brwmstan cryf. Methodd Dafydd â chysgu am yr un rhesymau ond, ar ôl diwrnod neu ddau, daeth pawb at eu coed ac ni welwyd y gŵr bonheddig fyth wedyn.

Llyn Goddionduon

a lift, and he duly accepted the offer and travelled with him all the way to Capel Curig. As he was alighting, Dafydd noticed that he had animal hooves and that he was, in fact, the devil himself. Disturbed, Dafydd insisted he would have made him walk had he known who he was! His horses were reported to be very agitated for days, frothing themselves to a lather.

Llyn Bodgynydd a Llyn Ty'n Mynydd

Un arall o lynnoedd Coedwig Gwydir, mae Llyn Bodgynydd (neu Llyn Bodgynydd Mawr fel y'i gelwir gan fod cronfa ddŵr Llyn Bodgynydd Bach yn is i lawr yr afon) yn rhan o system o gronfeydd dŵr a oedd yn cyflenwi'r gweithfeydd plwm niferus yn yr ardal. Roedd dŵr o Lyn Bodgynydd yn cyflenwi gwaith Pandora – gwaith plwm a sinc a fu'n cynhyrchu mwyn yn ysbeidiol rhwng tua 1868 a 1931.

Mae Coedwig Gwydir yn un o goedwigoedd pwysicaf Cymru ac yn un o goedwigoedd mwyaf gogleddol y wlad. Mae'r goedwig bron yn amgylchynu pentref Betws-y-coed, yn ymestyn tros arwynebedd o dros 70km sgwâr. Pwrpas sefydlu'r goedwig oedd i gynhyrchu coed pinwydd yn rhad ac mae dros 50km sgwâr

Lucky enough to survive the worst of the heavy metal mining, Llyn Bychan sits on the edge of the Gwydir Forest and is popular with anglers. Llyn Bodgynydd is also a very popular lake with many people loving the outdoor life including anglers, hikers, cyclists and orienteerers. The A5 trunk road passes here and the military camp nearby has been a feature for decades. A coach and horses, driven along the main road by a chap called Dafydd Roberts, stopped for a gentleman sat on the roadside playing cards. Dafydd offered him

yn cynhyrchu coed yn fasnachol. Yn dilyn dinoethi'r ardal yn helaeth o goed yn ystod y Rhyfel Byd Cyntaf rhaid oedd sefydlu planhigfa goed yn yr ardal i ddiwallu'r cynnydd yn y galw. Erbyn hyn roedd Arglwydd Ancaster wedi etifeddu ystad Gwydir gan deulu Wynn a phenderfynodd wneud gwell defnydd o'r tir gwael mynyddig trwy blannu coed. Roedd y mwynfeydd plwm wedi edwino erbyn hyn ac roedd coedwig yn ddewis naturiol i'r tir. Mae bellach yn ffynhonnell gyflogaeth helaeth yn yr ardal. Cynaeafir tua 125 tunnell o goed yn ddyddiol sydd, fe amcangyfrir, yn cyfateb i'r twf sy'n digwydd yn ddyddiol i holl goed y goedwig ac sydd felly'n cadw'r diwydiant yn gwbl gynaliadwy. Er bod coedwigaeth ar raddfa eang, fel y blanhigfa yng Ngwydir heddiw, yn gymharol ddiweddar, mae coed yn cael eu hallforio ers cenedlaethau. Yn ystod y bedwaredd ganrif ar bymtheg dywedir i goed gael eu rafftio o ben uchaf y dyffryn i lawr afon Conwy cyn belled â Threfriw lle codwyd cei i ddocio llongau i gludo'r coed i'r dinasoedd mawrion.

Mae Llyn Ty'n Mynydd yn boblogaidd â bywyd gwyllt a gwylwyr adar ar gyrion Coedwig Gwydir. Llyn wedi ei greu yw hwn, fel nifer o'r llynnoedd sy'n ymguddio yn nyfnderoedd Coedwig Gwydir, a chyflenwi'r mwynfeydd oedd ei bwrpas. Roedd gan nifer o'r gweithfeydd lleol olwynion dŵr i droi'r peiriannau trymion ac roedd galw helaeth am ddŵr ledled yr ardal. Mae rhan helaeth ohono wedi gwaddodi ac yn fwy fel cors na llyn erbyn hyn.

Aeth y Comisiwn Coedwigaeth ati'n fwriadol i adnewyddu'r hen dyddynnod yn fuan ar ôl y Rhyfel Mawr fel cartrefi i weithwyr Coedwig Gwydir. Adnewyddwyd tua saith deg o dyddynnod gan griw o bedwar o grefftwyr dros gyfnod o ddeng mlynedd ac felly fe ailboblogwyd yr ardal. Roedd hwn yn benderfyniad bwriadol gan fod y Comisiwn am i'r gweithwyr fyw yn y goedwig a gweithio fel ciperiaid a wardeiniaid tân. Mae'n debyg mai diflannu dan drwch coed pinwydd fyddai tynged y tyddynnod oni bai am y gwaith hwn.

Tŷ Hyll gerllaw ydy un o dai gwerin enwocaf yr ardal. Fe'i lleolir ar fin y lôn bost ger Capel Curig, a daw ei enwogrwydd o'r miloedd o gardiau post a anfonwyd oddi yno dros y blynyddoedd. Mae'n debyg mai tŷ unnos oedd y tŷ yn wreiddiol, tŷ a godwyd

Llyn Bodgynydd

rhwng gwawr a machlud gan fanteisio ar hawl tresmaswr i godi tŷ iddo'i hun drwy wneud hynny mewn un noson. Yn ôl traddodiad rhaid oedd codi'r waliau a'r to a chael mwg yn codi o'r simdde erbyn bore trannoeth er mwyn hawlio'r tir. Yn ogystal â hyn, byddai gan y perchennog newydd yr hawl i'r tir o amgylch y tŷ

Llyn Ty'n Mynydd

trwy farcio'r ffin â bwyell a gâi ei thaflu o bob congl. Cododd yr arfer hyn o godi tŷ oherwydd prinder tir i'r werin yn dilyn deddfau cau tir ddechrau'r ail ganrif ar bymtheg ynghyd â'r trethi a godid ar dai i blant a disgynyddion tyddynwyr. Gan amlaf codid y tŷ yn y lle cyntaf drwy ddefnyddio pridd a gwiail gan roi to gwellt syml yn goron ar y cyfan. Dim ond yn ddiweddarach, wedi sicrhau'r hawl ar y tir, y byddai waliau yn cael eu newid am waliau cerrig a'r to yn cael ei doi â llechi. Byddai pensaernïaeth y tai yn newid yn arw yn ystod y blynyddoedd ar ôl eu codi – ffenestri yn cael eu gwneud yn fwy a'u hychwanegu, lloriau eraill yn cael eu codi a beudai a 'sguboriau yn cael eu hatodi i'r adeilad. Mae llawer yn credu bod y cerrig enfawr sy'n waliau i Dŷ Hyll yn dyst i'r ffaith eu bod wedi eu dewis yn benodol er mwyn codi'r waliau'n gyflym ond efallai hefyd bod y tŷ wedi'i ailgodi o gerrig lleol flynyddoedd yn ddiweddarach. Er bod y tŷ bron â mynd yn adfail ddiwedd yr wythdegau mae e erbyn hyn wedi ei adnewyddu ac yn atyniad twristiaeth.

Llyn Bodgynydd used to supply the famous Pandora zinc mine beneath and the whole landscape of the area has changed several times over the past 150 years. The industrial revolution firstly brought large scale metal mining to alter the landscape, then as the industry died in the early decades of the 20th century, forestry took over huge swathes of the landscape almost surrounding Betws-y-coed. Today the forest estate is an important employer locally and around 125 tons of timber is harvested daily, about the rate of growth of trees in the forest.

Llyn Ty'n Mynydd is a small boggy lake again created to quench the thirst of the mining industry as with many in the Gwydir Forest. During the creation of the forest, when the Forestry Commission developed timber as the main industry, a conscious decision was made to renovate the old miners' cottages within the forest rather than ship workers in from outside the area. Some 70 properties were renovated and most are still inhabited thereby saving the cottages from certain ruin. The most famous cottage of them all, Tŷ Hyll (translated as the ugly house), is a popular attraction. It is an example of a home built exploiting a

loophole in local by-laws. According to tradition, land could be claimed for a homestead if the house was built in a single night and had four walls and a roof and if there was smoke rising from the chimney by morning. Furthermore, land could be claimed for the property by throwing an axe from the four corners of the new building to mark the boundaries. This is why Tŷ Hyll seems so rough around the edges, or so they say.

Llyn Sarnau a Llyn Pencraig

Tebyg iawn i lynnoedd eraill yr ardal yw Llyn Sarnau, llyn bas, bychan, corsiog a mawnog ac mae'r tirlun wedi ei drawsnewid yn llwyr dros y blynyddoedd gan fwyngloddio a phlannu coed. Mae canolfan awyr agored Nant Bwlch yr Haearn ar lan y llyn yn cynnig cyrsiau i ysgolion, yn bennaf yng ngogledd-ddwyrain Cymru, ac mae hen fythynnod y mwyngloddwyr yn cael eu defnyddio fel lle ty – bythynnod a fyddai wedi hen ddiflannu i ddrysni'r goedwig fel arall. Mae sôn fod ffermwr lleol wedi ei wefreiddio yn Nant Bwlch yr Haearn wrth gwrdd â gŵr doeth o'r enw Robin Ddu Ddewin. Mae'n debyg fod Robin Ddu yn dipyn o dderyn, yn fardd lled alluog fel ei frawd Dafydd, ac yn teithio'r wlad yn rhigymu, siarad ar ddamhegion a phroffwydo tynged pob dim. Roedd llawer o'i broffwydoliaethau'n gwbl anghywir ond roedd nifer yn dod yn wir a llawer ohonynt yn rhyfeddol o gywir (a oedd hyn drwy lwc neu alluoedd eraill, pwy a ŵyr!). Roedd ganddo'r gallu hefyd i ganfod trysorau cudd. Mae un o'r llu o straeon gwerin ar hyd a lled Eryri am Robin Ddu Ddewin yn adrodd ei hanes yn cyfarfod â'r diafol ei hun ger pont Aberglaslyn ym Meddgelert, stori sydd hefyd yn perthyn i Bontarfynach (Devil's Bridge), Ceredigion. Roedd y bont newydd ei chwblhau pan ymddangosodd y diafol i hawlio'r enaid cyntaf a fyddai'n croesi'r bont gan fynnu nad oedd y bont yn saff. Galwyd am wasanaethau Robin a phenderfynodd y byddai'n defnyddio torth i ddenu ci o dafarn gyfagos i groesi'r bont gan amddifadu'r diafol o'r hawl i'r enaid dynol cyntaf. Llwyddodd y ci i groesi'r bont yn ddiogel ac mae'r bont dal i sefyll.

Yn y stori, yn Nant Bwlch yr Haearn mae Robin yn darbwyllo'r ffermwr, sydd ar ei ffordd i farchnad Llanrwst, y bydd bedwen sy'n tyfu ar dalcen tŷ fferm Gwydir Isaf yn tyfu'n uwch na'r simdde ac y bydd llifogydd mor ddrwg yng Ngwydir Isaf nes ei droi'n llyn a'r fferm agosaf, Gwydir Uchaf, yn disgyn i fod yn gorlan ddefaid. Gwrthododd y ffermwr gredu Robin ond fel gwarant ar ei air proffwydodd y byddai cloc tref Llanrwst yn taro tri ar yr eiliad y byddai'r ffermwr yn cyrraedd y sgwâr. (Rhaid cofio nad oedd neb yn berchen oriawr yn yr oes hon. Rhaid oedd dibynnu ar wawr a machlud i gofnodi amser a chloc Llanrwst oedd yr unig gloc yn yr ardal.) Wrth gwrs, daeth y broffwydoliaeth yn wir a chodwyd digon o ofn yn lleol nes i simdde Gwydir Isaf gael ei chodi ddwy droedfedd i achub y blaen ar y fedwen (pam na dociwyd y fedwen, dyn yn unig a ŵyr!).

Er mai llyn naturiol yw Llyn Pencraig, mae'n anorfod fod ei hanes yn rhan annatod o'r diwydiant plwm yng Nghoedwig Gwydir. Mae glannau'r llyn yn frith o lefelau a siafftiau'r cloddfeydd, nifer ohonynt wedi cynhyrchu mwyn yn llwyddiannus ond llawer ohonynt yn ddim byd mwy na thyllau'n rhedeg fel rhychau dwfn yn y tirlun yn sgil y chwilio am arwydd o blwm, sinc a silica. Bellach mae'r creithiau hyn wedi eu claddu gan drwch o goed pinwydd. Mae'r diwydiannu tanddaearol wedi gadael ei ôl ar y llyn dros y blynyddoedd wrth i symudiadau yn y graig alluogi llawer o ddŵr y llyn ddiflannu i'r graig. Roedd ymweliad â'r llyn, mae'n rhaid i mi gyfaddef, yn hynod o siomedig a minnau'n canfod mai dim ond cors oedd ar ôl yno i bob pwrpas.

Gerllaw mae Rhaeadr Ewynnol enwog Betws-y-coed. Cafodd enw'r rhaeadr ei gamgyfieithu i'r Saesneg beth amser yn ôl ac yn lle trosi'r gair ewynnol (= llawn ewyn gwyn), troswyd yr enw fel y wennol (= swallow), ac yn anffodus Swallow Falls a ddefnyddir yn Saesneg fyth ers hynny. Mae'r rhaeadr ar afon Llugwy yn atyniad twristaidd pwysig yn yr ardal, yn bennaf oherwydd ei safle ar ymyl y lôn bost. Mae nifer o raeadrau tebyg yn Eryri sy'n denu fawr ddim sylw! Yn ôl chwedl (eithaf modern, rhaid cyfaddef) a ddatblygodd wedi marwolaeth Syr John Wynn, yno dan yr ewyn y mae ei enaid wedi ei ddal, yn cael ei olchi o'i feiau gan y dŵr. Mae'n debyg fod hyn yn arwydd o'r farn gyffredin ar lafar gwlad

am gymeriad John Wynn gan fod ei gasineb tuag at y pabyddion yn enwog – er mae'n deg nodi iddo sefydlu ysbyty i'r tlodion yn Llanrwst a noddi ysgol yno hefyd! Clywn fwy o hynt a helynt John Wynn yn y bennod nesaf ar Ddyffryn Conwy. Wrth gwrs, wrth i'r ffordd brysuro a'r rhaeadr dyfu i fod yn atyniad o bwys codwyd gwesty ger y safle, yn bennaf ar gyfer teithwyr a gyrwyr anifeiliaid ond yn gynyddol yn ystod Oes Fictoria ar gyfer y twristiaid.

One of the great characters of the Middle Ages was a self-styled seer and magician called Robin Ddu Ddewin and his legends span the whole of north-west Wales. At Nant Bwlch yr Haearn (the present day outdoor pursuit centre by the lake) he warned a local farmer that at the exact moment the birch tree standing by the gable of Gwydir Isaf farmhouse would outgrow the building, the farmhouse would be flooded into a lake and, furthermore, the neighbouring farmhouse of Gwydir Uchaf would fall down becoming a sheepfold. As a warranty of this happening he predicted that the farmer, on his onward journey to Llanrwst fair, would reach the town square at the stroke of three by the town clock. In an age without timepieces this was fair game. And, true to his word, when the farmer reached the fair the clock struck three. This was sufficient evidence of the seer's power for the farmer at

Llyn Pencraig

Gwydir Isaf to extend his chimney by two feet to gain advantage over the birch.

Llyn Pencraig is a mere bog by now, underground geological movements having enabled most of the water to seep through, leaving behind a densely overgrown swamp. Nearby, the famous Rhaeadr Ewynnol (mistranslated as Swallow Falls in Victorian times – the name stuck!) has always been a stopping point on the main road, so much so that a hotel was built, firstly for the drovers and carriagemen and latterly for tourists. The Falls themselves hide the spirit of the eternally unpopular John Wynn who forged his bad reputation with his hatred of the Catholics. He is always portrayed as the bad guy (even though he sponsored the building of a hospital for the poor as well as a school in Llanrwst!) and his soul is trapped beneath the torrent of the falls, or so they say.

Llyn Elsi

Yn uchel yn y coedwigoedd coed meddal uwchlaw pentref Betws-y-coed, mewn llecyn poblogaidd sy'n cael ei warchod gan y Comisiwn Coedwigaeth, mae ôl gwaith y comisiwn i'w weld yn amlwg o amgylch y llyn gyda digon o lwybrau a safleoedd picnic i ddiddori'r torfeydd pan fo'r tywydd yn braf. Cronfa ddŵr yw Llyn Elsi sy'n cyflenwi pentref Betws-y-coed a'r ardal o amgylch. Codwyd wal ugain troedfedd i gronni'r dŵr yn 1931 gan foddi ardal gorsiog a oedd yn cynnwys dau lyn – Llyn Enoc a Llyn Rhisiog. Tyfodd y galw am ddŵr ym Metws-y-coed yn sgil y boblogaeth fechan a ddatblygodd yn ystod twf y mwynfeydd plwm dros y canrifoedd. Wedi datblygiad yr A5 fel lôn bost yn ystod y bedwaredd ganrif ar bymtheg, datblygodd Betws-y-coed yn ganolfan bwysig i deithwyr a hynny oherwydd safle'r pentref ar groesffordd rhwng llwybrau sy'n rhedeg o'r gorllewin i'r dwyrain ac o'r de i'r gogledd. Mae cofeb ar lan y llyn i Arglwydd Ancaster a roddodd y tir yn rhodd i godi'r gronfa er budd pobol Betws-y-coed a Dyffryn Conwy. Mae llawer yn cael eu denu i ymweld â'r llyn oherwydd ei safle mynyddig a'r golygfeydd rhagorol tua Moel Siabod, y Glyderau a'r Carneddau.

Islaw'r llyn ar y lôn bost am Gerrigydrudion roedd tafarn boblogaidd gan deithwyr. Yn ôl y sôn, cafodd y dafarn gyfnod o drafferthion yn ystod yr unfed ganrif ar bymtheg pan fu lleidr yn dwyn eiddo'r gwesteion. Parhaodd y dirgelwch gan fod yr arian yn cael ei ddwyn o ystafelloedd y gwesteion yn ystod y nos pan oedd y drysau wedi eu cloi. Daeth y broblem i sylw gŵr doeth lleol a phenderfynodd geisio dal y lleidr. Ei gynllun oedd mynd yno a holi am lety. Roedd y gwestai cudd yn aelod o'r fyddin, roedd ganddo lifrai milwrol a chleddyf a chymerodd arno ei fod ar y ffordd i Iwerddon a'i fod wedi teithio'n helaeth trwy'r byd ar fusnes. Gwrandawodd y ddwy chwaer a oedd yn rhedeg y dafarn yn ofalus ar ei stori a chytuno i'w ddymuniad i adael cannwyll ynghyn drwy'r nos yn ei lofft. Llwyddodd y milwr i gael cwsg llwynog, fel petai, gan gadw ei gleddyf gerllaw. Yn ystod oriau mân y bore sylwodd fod dwy gath wedi crwydro drwy hollt rhwng ei ystafell a'r llofft drws nesaf ac yn chwarae wrth erchwyn ei wely. Roedd y cathod yn eithaf gwyliadwrus ond yn chwarae a rowlio yn ei ddillad o dro i dro. Wrth i bawen un o'r cathod estyn i'w boced estynnodd y milwr am ei gleddyf a tharo'r gath ar ei phawen. Sgrialodd y ddwy gath dan sgrechian.

Fore trannoeth, doedd dim golwg o un o'r chwiorydd wrth y bwrdd brecwast. Holodd y milwr y naill chwaer am y chwaer goll ac wedi iddo dderbyn esgus ganddi bod honno'n sâl yn ei gwely mynnodd, serch hynny, gael ffarwelio â hi. Ymddangosodd ymhen hir a hwyr ac estyn ei llaw chwith i ffarwelio â'r milwr. Mynnodd ef ysgwyd ei llaw dde ond sylwodd fod honno wedi ei rhwymo'n dynn. Mae'n debyg mai dwy wrach oedd y ddwy chwaer a bod y dwyn yn digwydd yn eu ffurf fel cathod. Rhybuddiodd nhw ei fod yn gwybod eu cyfrinach ac os byddai byth yn clywed am achos arall o ddwyn yn y dafarn byddai'n eu cosbi. Flynyddoedd yn ddiweddarach cyfarfu'r milwr â'r ddwy chwaer ar ei ffordd i eglwys Betws-y-coed a thyngodd y ddwy i ddial arno ond denodd ef hwy i'r eglwys lle y gwyddai fod ganddo bwerau i orchfygu'r gwrachod a chollodd y ddwy eu pwerau tywyll a byw yn gytûn â phawb arall am weddill eu hoes.

A beautiful woodland forestry lake managed by the Forestry Commission, Llyn Elsi is a popular picnic spot and a quencher of thirsts in the Betws-y-coed area. An old tale recalls a nearby inn run by two sisters during the sixteenth century. Reports abounded of residents' money going missing during the night and this arose the suspicions of a local seer. Posing as a customer, he booked in for the night and requested a candle to be left alight in his room.

Pretending to sleep, with his sword firmly in hand, he saw two black cats wander in and rummage in his belongings. He immediately reached for his sword and swiped at the cat's paw. It fled for its life. The cover was blown next morning when one of the two sisters was in hiding nursing an injured hand. Years later he offered to cleanse their spirit in the church in Betws-y-coed and frog-marched the pair to a sin-free life after ridding their souls of evil spirits.

Llyn Elsi

6

Dyffryn Conwy

Llyn Geirionydd

Llyn Eigiau

Mae'n debyg bod hanes diweddar Llyn Eigiau yn gyfan gwbl ynghlwm wrth ddamwain a ddigwyddodd ar yr 2il o Dachwedd 1925. Codwyd gorsaf bŵer trydan dŵr yn Nolgarrog er mwyn cyflenwi trydan i waith alwminiwm gerllaw. Yn 1911, dechreuwyd ar y gwaith o godi wal ¾ milltir o hyd a 35 troedfedd o uchder er mwyn cronni'r dŵr. Cafwyd trafferthion yn syth a gadawodd y contractiwr gwreiddiol yn gynnar gan honni bod y cynllun yn torri corneli. Gwireddwyd ei ofnau: roedd seiliau'r wal yn annigonol a'r concrid o safon isel gyda llawer llai o sment yn y gymysgedd na'r disgwyl. Yn dilyn glaw trwm un noson o Dachwedd, chwalodd y wal a ffrydiodd miliynau o alwyni o ddŵr i lawr y dyffryn gan lifo i Lyn Coedty, a oedd hefyd yn gronfa, a dymchwel y wal honno yn ogystal. Pentref Dolgarrog ddaeth nesaf yn llwybr y dilyw; roedd y dŵr yn rhedeg ar y fath gyflymder fel na fu cyfle i ddianc. Lladdwyd 17 o'r trigolion i gyd. Byddai llawer mwy, yn sicr, wedi eu lladd oni bai bod nifer helaeth o'r pentrefwyr mewn neuadd leol yn gwylio ffilm ar y pryd. Roedd trychineb Dolgarrog yn drobwynt yn y ffordd yr adeiladid cronfeydd mynyddig, ac fe godydd llawer o amheuon am gronfeydd eraill yn ei sgil ac o'r herwydd fe fylchwyd nifer ohonynt er diogelwch. Bu'r drychineb yn gyfrifol am sefydlu deddfau diogelwch cronfeydd yn 1930 a 1975.

Ar ôl ailgodi'r wal, mae'r llyn ychydig dan hanner ei faint gwreiddiol ac yn cyflenwi dŵr i orsaf newydd a godwyd yn Nolgarrog yn 1925. Er bod y gwaith alwminiwm wedi cau er 2002 (yn wir roedd y gwaith mwyndoddi wedi gorffen ers degawdau), mae'r pwerdy yn dal i gynhyrchu tu 32MW o drydan i'r Grid Cenedlaethol ar oriau brig.

Mae chwedl yn lleol fod yr hynod amhoblogaidd John Wynn o Wydir wedi clywed bod heigiau o bysgod bras yn Llyn Eigiau ac, er mwyn eu bachu, anfonodd 30 o ddynion i gloddio twnnel er mwyn dargyfeirio'r dŵr o'r llyn i Ddolgarrog islaw gan amddifadu'r pysgotwyr lleol o bysgod yr afon. Wedi twnelu trwy'r graig canfuwyd nad oedd yr un pysgodyn yn dod o'r llyn. Yn ôl y stori, canfuwyd fod ceudwll enfawr yng nghrombil y

Llyn Eigiau

graig, digon mawr i ddal sawl llong. Yn yr ogof enfawr hon roedd bwystfil enfawr yn llenwi'r ogof, a llond ei gylla o bysgod Llyn Eigiau. Roedd llawer o'r rhain yn hanner byw o hyd a llawer yn dal i nofio yn ei fol. Dywedir mai Behemoth oedd enw'r bwystfil a bod cysylltiadau i'r hanes â stori Jona yn y Beibl. Dyma reswm arall, yn ôl y sôn, bod ysbryd John Wynn yn dal i fethu boddi yn y Rhaeadr Ewynnol ym Metws-y-coed.

The recent history of Eigiau revolves entirely around the events of a November evening in 1925, when a 35ft dam crumbled and the torrent of water engulfed the village of Dolgarrog downstream. A total of 17 villagers lost their lives and the toll would have been much higher were it not for the fact that most of the villagers were at the time in the safety of the village hall watching a film. The breakout happened solely due to poor workmanship, but the dam was rebuilt and still functions as a reservoir. A mythical beast called Behemoth used to live in a huge cavern in the mountain, where a stream from Eigiau flowed through, feeding fish into his enormous stomach. A team of men happened upon the beast after being sent to dig a tunnel from the lake to Dolgarrog, thereby diverting fish to John Wynn's land (the aforementioned enemy of the people, who despite being a historical figure is associated with many supernatural tales).

Llyn Cowlyd a Llyn Coedty

Cronfa ddŵr ydy Llyn Cowlyd, fel bron pob un o'r llynnoedd sy'n gorwedd i'r gorllewin o'r Carneddau. Mae wal ddeg troedfedd ar hugain yn dal y dŵr yn ei le er 1922 er mwyn torri syched trigolion Conwy a Bae Colwyn. Mae'r llyn hefyd yn cyflenwi dŵr i orsaf drydan dŵr Dolgarrog, gan fod Llyn Cowlyd a Llyn Eigiau wedi eu cysylltu ers 1919 trwy dwnnel tanddaearol filltir o hyd. Mae'r wal bresennol wedi disodli hen argae a godwyd ynghynt i godi lefel y llyn, a bu'r wal newydd hon yn achos damwain yn 1934 pan dorrodd rhan ohoni, gan beri i ddŵr 'sgubo i lawr y dyffryn. Yn ffodus nid oedd y difrod hanner mor ddrwg â thrychineb Dolgarrog un ar ddeg mlynedd ynghynt. Llwyddodd yr awdurdodau i guddio'r gwir am y ddamwain am flynyddoedd ac roedd yr holl waith trwsio yn cael ei gyfiawnhau gan y ffaith ei fod yn rhoi gwaith prin i ddynion yr ardal mewn cyfnod o

ddirwasgiad. Ar ei newydd wedd mae Llyn Cowlyd yn gallu hawlio'r teitl 'llyn dyfnaf Eryri', ac yn wir gogledd Cymru; ar ei ddyfnaf mae'n 229 troedfedd.

Mae'r traddodiad am fwystfil y dyfnderoedd yn bodoli yn Llyn Cowlyd hefyd. Yma, mae tarw ffyrnig yn cuddio yn y dyfnderoedd, gan godi yn ystod y nos a chyda'i garnau tanllyd a'i ffroenau llawn fflamau mae'n cipio teithwyr unig i'r dyfnderoedd. Tybed a oes cysylltiad rhyngddo a Behemoth Llyn Eigiau?

Creadur enwog arall o'r llyn ydy Tylluan Cwm Cowlyd, ffigwr amlwg yn stori Culhwch ac Olwen o'r Mabinogi. Yn y chwedl, mae'n rhaid i Culhwch gyflawni nifer o dasgau amhosibl er mwyn cymell y cawr Ysbaddaden i adael iddo briodi Olwen ei ferch. Un o'r tasgau ydy canfod Mabon fab Modron sydd wedi bod ar goll ers peth amser. Mae Culhwch yn ddigon doeth i ennill cefnogaeth ei gefnder y Brenin Arthur ac mae'r ddau'n ymweld â nifer o greaduriaid gwybodus i geisio canfod ateb. Un o'r rhain ydy Tylluan Cwm Cowlyd ac mae'r dylluan hollwybodus yn cynorthwyo Culhwch i ganfod Mabon ac, felly, i briodi Olwen.

Dyma un arall o lynnoedd Eryri sy'n gysylltiedig â'r tylwyth teg: stori od iawn sydd yma lle mae'r tylwyth teg yn ymweld â theulu sy'n byw ar lan y llyn. Gofynna'r tylwyth teg a gânt ddod i mewn i'r tŷ i newid gwisg a 'molchi babi bach. Digwydd hyn yn aml ac mae'r tylwyth teg yn talu'n dda bob tro. Yn dilyn un ymweliad sylweddola gwraig y fferm fod y bobol fach wedi gadael eli'r babi ar ôl. Wedi iddi archwilio'r eli rhwbiodd y wraig ei llygaid â pheth ohono yn ddamweiniol. Yn ddiweddarach, gwelodd y wraig yr un teulu yn ffair Llanrwst a sylweddolodd eu bod yn dwyn teisennau o un o'r stondinau. Aeth y wraig atynt gan ofyn pam eu bod yn dwyn a gofynnodd y tylwyth teg a wnaeth hi rwbio ei llygaid â'r eli? Dangosodd ei llygaid i'r dylwythen deg a rhwbiodd honno'r llygaid yn sydyn. Diflannodd y teulu'n syth ac ni welodd hi'r un ohonynt fyth wedyn.

Mae craig yn gorwedd ar ochr ddeheuol y llyn o'r enw Maen Trichwmwd, ac mae bwlch rhwng Pen Llithrig y Wrach a mynydd y Braich o'r enw Bwlch Tri Marchog a chysylltiad rhwng y ddau enw. Fel y gwelwyd yn Nyffryn Gwynant lle roedd Craig yr Eryr yn dynodi man cyfarfod tri chantref canoloesol, yma

Llyn Cowlyd

mae tri chwmwd yn cwrdd ac ym Mwlch Tri Marchog y bu'r tri cynrychiolydd o'r cantrefi'n cyfarfod – cantrefi Arfon, Arllechwedd a Nantconwy. Hyd heddiw, mae'r lleoliad yn fan cyfarfod tri phlwyf – Llanllechid, Capel Curig a Dolgarrog.

Mae Llyn Coedty eto'n rhan annatod o system drydan dŵr Dolgarrog. Prin ydy'r llynnoedd sy'n gwbwl naturiol yn yr ardal hon ac mae pob un o'r rhain wedi eu haddasu, neu eu creu o'r newydd, er mwyn diwallu anghenion diwydiant. Codwyd argae'r llyn yn wreiddiol yn 1924, yna yn 1926 yn dilyn y ddamwain, ac yna'i ymestyn yn 1956. Mae pibell enfawr dwy filltir o hyd yn cludo dŵr o Lyn Coedty i'r pwerdy islaw, gan ollwng y dŵr 845 troedfedd i lawr ochr y dyffryn.

Llyn Cowlyd is part of the trinity of reservoirs feeding the Dolgarrog power station, itself the victim of a disaster in the 1930s. Here, no lives were lost and the incident was well covered up for decades. A legendary bull lives deep in the lake's waters and, when furious, snatches innocent victims to their watery death. The *tylwyth teg* also appear and once regularly visited a farmhouse to change their baby's nappy. The farmer's wife accidentally rubbed the baby cream into her eyes and could see the little folk pilfering in Llanrwst fair, until they were found out, and disappeared.

Llyn Coedty is the final part in the Dolgarrog trio of reservoirs, this smaller lake being created in the 1920s and extended in the 1950s. The area is now characterized by the huge black pipelines snaking their way all over the landscape to quench the power plant's thirst.

Llyn Crafnant a Llyn y Parc

Mae afon Crafnant yn dal i chwarae rhan bwysig yn y diwydiant gwlân yn lleol, gan gyflenwi pŵer i felin wlân enwog Trefriw gerllaw. Mae'r felin bellach yn rhedeg peiriannau trwy drydan – ac mae'r trydan yn cael ei gynhyrchu gan y felin ei hun; technoleg newydd, felly, sy'n rhedeg hen beiriannau o hen ffynhonnell egni. Mae'r felin yn cael ei rhedeg gan yr un teulu ers i Thomas Williams ei phrynu yn 1859, ac mae'r carthenni a'r blancedi yn nodweddiadol o waith y felin.

Mae'r ardal hon yn frith o chwedlau a straeon tylwyth teg. Mae un stori gyfarwydd yn adrodd hanes y llanc sy'n canfod cylch o dylwyth teg yn dawnsio ar ddarn o wastatir ac yn penderfynu ymuno â nhw. Mae ei ffrindiau'n sylweddoli y bydd yn rhaid iddynt ddisgwyl am flwyddyn a diwrnod cyn y medrant ddychwelyd i'r gwastatir i geisio ei achub gan ei daro â haearn i'w sobri. Wedi dychwelyd i'r byd go-iawn, mae'r llanc yn taeru iddo ddawnsio am bum munud yn unig a bu'n rhaid dangos iddo ei esgidiau newydd, bellach yn garpiog, i'w ddarbwyllo iddo ddiflannu am dros flwyddyn.

Mae'n debyg bod dylanwad y tylwyth teg mor gryf ar feibion yr ardal nes bod eu rhieni'n gorfod eu cloi yn eu tai ambell noson pan fo'r lleuad yn llawn a tharth yn gorwedd yn isel yn y dyffrynnoedd. Tua dechrau'r bedwaredd ganrif ar bymtheg câi Roger, mab Sgubor Gerrig, Trefriw, druan, ei gloi yn ei gartref bob nos ar ôl machlud gan ei rieni, Ifan a Lowri Tomos, rhag i'r bobol fach ei ddwyn! Roedd y tylwyth teg hyd yn oed yn talu ei dad, yn ôl y sôn, er mwyn ceisio ei hudo i'w plith.

Nid yn unig roedd tylwyth teg yn frith yn yr ardal ond, yn ôl y sôn, roedd môr-forynion hefyd i'w canfod ger afon Crafnant yn Nhrefriw, prawf pellach o ddychymyg byw – a gwreiddiol – pobol yr ardal!

Mae Llyn y Parc yn llyn main, cul yng Nghoedwig Gwydir ym mhen uchaf Dyffryn Conwy heb fod ymhell o Fetws-y-coed. Mae'r diwydiant mwyngloddio plwm a sinc wedi effeithio'n drwm ar y llyn hwn, fel nifer o lynnoedd yr ardal, ac fe godwyd ei lefel gan wal i gronni'r dŵr er mwyn cyflenwi gwaith Aberllyn gerllaw. Bu'r gwaith yn eithaf llewyrchus gan gyflogi dros 200 o weithwyr ar un cyfnod a chynhyrchu mwyn ymhell i'r ugeinfed ganrif.

Heb fod ymhell o Lyn y Parc, ar stad Gwydir, roedd croesffordd boblogaidd yn y cyfnod pan oedd y stad mewn bri ac yn cyflogi cannoedd o weithwyr. Ar y groesffordd roedd coeden enwog a byddai gweision a morynion yn cyfarfod wrth y 'pren gwyn' derfyn dydd i rannu straeon a dal pen rheswm. Roedd hen wreigan yn byw gerllaw a oedd yn enwog am ddweud ffortiwn ac roedd ganddi allu chwedlonol i ddarogan trefn bywydau. Deuai dealltwriaeth Beti'r Baten, yr hen wreigan, trwy ei harfer o ddringo a chuddio yn y Pren Gwyn ar nosweithiau braf a chlustfeinio ar sgyrsiau pobol islaw. Daeth John Wynn o Wydir i glywed am hyn a gosododd drap i ddal Beti. Gorchmynnodd i ffŵl ei lys gadw golwg ar y goeden ac i alw arno pan fyddai Beti'n dechrau dringo. Wedi iddi gyrraedd y brig, aeth ati i gynnau ffaglau brwmstan wrth fôn y goeden gan orfodi Beti i ddatgelu ei chyfrinach. Bu'n rhaid iddi ffoi o'r ardal, yn ôl y sôn, a symud i Gapel Garmon ac yna i Benmachno.

Mae straeon gwerin yr ardal yn ymwneud bron iawn yn gyfan gwbl â Stad Gwydir. Dyma'r stad y mae ei chanolbwynt yng Nghastell Gwydir gerllaw Trefriw. Roedd mewn bri yn ystod yr unfed ganrif ar bymtheg pan wnaed y rhan fwyaf o'r gwaith ar y castell. Dyma stad fwyaf dylanwadol gogledd Cymru yn ei chyfnod, cyn dyfodiad teuluoedd hyd yn oed yn fwy pwerus a chanddynt gyfoeth y Chwyldro Diwydiannol yn gefn iddynt. Yn ei bri roedd dros 150km sgwâr o dir yn eiddo iddi ac, yn dilyn chwalu Abaty Maenan gerllaw, defnyddiwyd y cerrig a'r deunydd mwyaf gwerthfawr i godi Castell Gwydir yn ganolbwynt i'r stad. Lliwgar fu ei hanes yn ddiweddarach, ac yn wir hanes y castell ei hun. Ceisiodd teulu Wynn, Gwydir, (ac yn diweddarach y Barwniaid Willoughby de Eresby a ddaeth i reoli'r stad) fuddsoddi mewn chwareli llechi, ond roedd safon y graig yn isel a bychan fu'r deunydd a gynhyrchwyd gan y chwareli hynny. (Dywedir fod ffrwyth 150 o flynyddoedd o gynhyrchu llechi gan holl chwareli Stad Gwydir, yn llai na chynnyrch dwy flynedd o chwareli Blaenau Ffestiniog.)

Newidiodd perchnogaeth y stad sawl gwaith yn ystod y bedwaredd ganrif ar bymtheg a gwerthwyd rhannau, blwyf wrth blwyf, i dalu dyledion. (Mae'n anodd credu bod stadau mor fawr nes bod modd gwerthu plwyfi cyfan ar y tro. Gwerthwyd

Llyn Crafnant

plwyf Dolwyddelan yn 1894 ac fe'i dilynwyd ddwy flynedd yn ddiweddarach gan blwyf Llanrhychwyn a Threfriw.) Daeth rhannau o'r castell dan forthwyl yr ocsiwn hefyd ac yn 1921 daeth yr holl waliau coed, y paneli wedi eu naddu'n gelfydd a'r manion a fu'n rhan o'r ystafell fwyta fawreddog ar y farchnad, a'r paneli yn dyddio o'r 1640au. Prynwyd y cyfan gan yr enwog William Randolph Hearst (a anfarwolwyd, mae'n debyg, yn y ffilm *Citizen Kane*), a'i focsio a'i allforio draw i America. Ni chyrhaeddodd y paneli coed fyth dŷ Hearst ac fe'u storiwyd am flynyddoedd yn warws Amgueddfa Gelf Metropolitan America. Bellach mae'r teulu sydd yn berchen y plasty wedi llwyddo i adennill perchnogaeth y paneli, ac wedi eu hadnewyddu i'w lleoliad gwreiddiol.

The *tylwyth teg* cast a long spell in this area, so much so that local farmers used to lock up their sons in case they ran away with the little people. One of the local sons was tempted to join the *tylwyth teg* in a dance, and was soon mesmerized. His friends had to wait a year and a day to release him from his trance, by striking him with iron. He was convinced that he had only danced for five minutes, but his shoes told a different story. Even mermaids have been spotted near Trefriw – there must be something in the water!

There is a charming story of an old fortune teller called Beti'r Baten who lived locally, and apparently had great foresight and advice. Her secret was, however, exposed when she was found eavesdropping high in the branches of an old tree above a very popular meeting place on a crossroads where all the youngsters met to gossip. Having been smoked out by brimstone, she fled the parish in shame. The Gwydir Estate casts a long shadow over the area, but the estate has been in decline since the great industrial age when estates further west came to dominate with new wealth from the slate industries. Whole parishes have been sold off, one by one, and eventually parts of the castle were also sold. All the wooden panels of the great hall were bought by media mogul William Randolf Hearst and crated and shipped to the States. Decades later, still in storage, the panels were returned to their rightful home in Castell Gwydir.

Llyn y Parc

Llyn Geirionydd a Llyn Glangors

Ychydig yn is i lawr y dyffryn na wal Llyn Geirionydd mae cloddfa blwm Klondyke. Does wybod beth oedd tarddiad enw'r gloddfa; efallai bod perchnogion gwreiddiol y gwaith yn dychmygu mawreddau'r mwynfeydd aur enwog! Erbyn ugeiniau'r ganrif ddiwethaf roedd y rhan fwyaf o'r mwyngloddiau wedi cau, a dim ond tair o'r rhai mwyaf oedd yn dal yn weithredol, sef Coedmawr, Pandora (enw rhyfeddol arall!) a Parc, ond roedd un pwll newydd gau wedi cyfnod rhyfeddol yn hanes mwyngloddiau Gwydir – a chloddfa Klondyke oedd hwnnw.

Dyma gyfnod o drawsnewid mawr yn ardal Gwydir; roedd tranc y gweithfeydd plwm a sinc yn amlwg, ac roedd y Comisiwn Coedwigaeth wedi dod yn ddeiliaid y tir a'r gwaith caled wedi dechrau o gloddio ffosydd, codi ffensys a phlannu miliynau o goed ifainc a fyddai'n rhoi bywoliaeth i nifer helaeth o weithwyr dros y degawdau i ddod – ac yn sicrhau y byddai'r gweithlu'n symud o'r ceudyllau i'r awyr agored. Dechrau'r stori anhygoel hon ydoedd ymddangosiad gŵr o'r enw Joseph Aspinal a ddaeth yn berchennog newydd y gloddfa yn 1918. Bwriad Aspinal oedd buddsoddi'n helaeth yn y gloddfa, gan ddenu arian teuluoedd cyfoethog yn Llundain i'r gwaith. Roedd yn gyfarwyddwr y Crafnant and Devon Mining Company ac roedd prosbectws y cwmni'n honni eu bod yn berchen ar nifer o fwyngloddiau llwyddiannus yng ngogledd Cymru. Roedd Aspinal yn ŵr bonheddig, yn gwisgo'n drwsiadus ac yn dal sylw pawb oedd yn fodlon gwrando ar ei sgwrs. Dyma ddyn oedd yn creu argraff yn sicr.

Aeth ati ar ei union i adnewyddu'r gwaith trwy brynu peiriannau mawr ac olwyn ddŵr enfawr ac fe gododd hyn beth chwilfrydedd

Llyn Glangors

yn lleol ac amheuon am wir fwriad y gwaith. Roedd y peiriannau, yn wir, yn fawr ac yn swnllyd, ond doedd 'run ohonynt o unrhyw wir bwrpas i waith mwyngloddio plwm. Tyfodd yr amheuon ymhellach wrth i dunelli o fwyn plwm a sinc a metalau gwerthfawr eraill gyrraedd gorsaf Llanrwst i'w cludo i'r pwll. Erbyn hyn roedd Aspinal yn cyflogi criw o hen fwyngloddwyr lleol yn y pwll, ond roedd amodau eu gwaith yn hollol gyfrinachol – doedd 'run ohonynt i rannu'r gyfrinach â neb. Doedd dim rhaid iddynt gloddio dan ddaear am fwyn, nac yn wir wneud fawr ddim gwaith o gwbl mewn gwirionedd, ond roedd un cymal yn eu cytundeb yn hanfodol – pan fyddai sŵn car Joseph Aspinal yn nesáu i fyny'r allt tua'r gwaith gan ganu corn byddai'n rhaid i'r gweithwyr godi oddi ar eu penolau ac edrych yn hynod o brysur!

Roedd Joseph Aspinal wedi cynllunio'i fwynglawdd fel set ffilm; doedd dim yn gweithio ac roedd hyd yn oed y waliau y tu mewn i'r twnelau wedi eu plastro â mwyn pur o sinc, plwm ac arian hyd at ddeg metr i mewn i'r mynydd. Safai wagenni'n llawn o'r mwyn gorau posib ger ceg y twnnel ac ambell ingot o arian pur yn gorwedd yn lich-dafl ar fyrddau ac ati – ac roedd y cwbl wedi ei osod i dwyllo.

Byddai buddsoddwyr posib yn cael eu trin yn anrhydeddus gan Aspinal, gan deithio ar drên mewn cerbyd dosbarth cyntaf o Lundain i Gonwy, aros ym mhlasty ysblennydd Aspinal yn Nyffryn Conwy (plasty yr oedd Aspinal yn ei logi i'r perwyl hwn bob tro) ac yn cael eu cludo mewn moethusrwydd i ben ucha'r dyffryn i ymweld â'r gwaith prysur. Yna gallent adael yn hapus eu byd, ac yn eiddo ar ingot o arian i gadarnhau bod y mwyngloddiau'n llawn o'r metalau mwyaf gwerthfawr yn yr ardal, a bod eu buddsoddiad yn mynd i dalu ar ei ganfed.

Cododd Aspinal £133,000 o fuddsoddiad i'w fenter, yn bennaf gan aelodau cyfoethog, ond mwyaf clwyfedig cymdeithas Llundain. Gwragedd gweddw ariannog oedd prif ysglyfaeth Aspinal a defnyddiwyd eu harian i dalu'r rhent ar dai Aspinal ar hyd a lled y wlad. Cafodd ei ddal yn y diwedd wedi i nifer o reolwyr mwyngloddiau lleol godi amheuon a chafodd ei arestio a'i ddedfrydu i ugain mlynedd o lafur caled mewn carchar ar y 30ain o Ionawr, 1920.

Fel sawl cymuned sy'n gorwedd ar lethrau Dyffryn Conwy, mae'r cysylltiadau diwylliannol yn gryf â'r 'pethe' Cymreig. Mae llenyddiaeth a barddoniaeth Gymraeg wedi eu trwytho yn llethrau'r dyffryn hwn, o Gapel Dewi i Langernyw ymhellach draw i fro Hiraethog. Yma, ar lannau Llyn Geirionydd, daeth gŵr o'r enw John Roberts i chwarae rhan hanfodol yn hanes yr Eisteddfod Genedlaethol. Brodor o Drefriw gerllaw oedd William John Roberts a death yn ffigwr amlwg yn yr eisteddfod fel bardd, cyhoeddwr a llyfrwerthwr a hynny drwy ei enw barddol Gwilym Cowlyd. Tua diwedd y bedwaredd ganrif ar bymtheg, daeth i wrthwynebu Seisnigeiddio'r Eisteddfod Genedlaethol, a'i phwyslais cynyddol ar greu arian, a gadawodd Lys yr Eisteddfod mewn storm. Ffurfiodd ei ŵyl ei hun ar lan Llyn Cowlyd, mewn llecyn a elwir hyd heddiw yn Bryn Caniadau, a'i galw'n Arwest Farddol Glan Geirionydd (picnic mewn geiriau eraill!). Roedd gan yr eisteddfod hyd yn oed ei llys ei hun – Gorsedd Geirionydd! Er nad oedd yr ŵyl yn llwyddiant yn y pen draw, mae'n debyg i safiad John Roberts daro'r post a newidiodd yr Eisteddfod gyfeiriad yn ddiweddarach a dilyn trywydd mwy Cymreig. Un o brif gyfranwyr yr Eisteddfod hon oedd David Francis, y telynor dall, a gollod ei olwg yn bedair oed ac a oedd yn byw yn chwarel Llechwedd ym Mlaenau Ffestiniog. Llyn arall wedi ei greu ydy hwn, unwaith eto, y tro yma ar gyfer cloddfa blwm Pandora a fu'n cynhyrchu plwm o tua 1868 hyd at 1931.

Islaw, o bentref Llanrhychwyn y daw stori dwy hen wreigan a oedd yn berchen ar gath ddu. Codwyd amheuaeth ymysg y cymdogion am y ddwy gan fod y gath mor hen. Credir fod y gath wedi bod yn eiddo i rieni'r ddwy hen ferch ac wedi byw yn y tŷ ers degawdau, heb heneiddio dim. Roedd hefyd yn eu dilyn i bob man. Roedd y ddwy hen wreigan eu hunain yn destunau chwilfrydedd yn lleol – yn berchen ar gyfoeth, a hynny heb orfod gweithio o gwbl. Doedd 'run o'r ddwy chwaith wedi mynychu eglwys erioed. Penderfynodd un o gonglfeini'r eglwys yn lleol geisio datrys y mater ac aeth i weld y ddwy, gan gynnig darllen o'r Ysgrythur iddynt. Gwrthod y cynnig a wnaeth y ddwy ar y cychwyn, ond wedi iddo ddwyn perswâd arnynt cafodd y dyn ddod i mewn i'r tŷ i ddarllen. Doedd y gath ddu, yn ôl y stori, ddim yn hapus. Dechreuodd anesmwytho a chadw sŵn. Dechreuodd ei llygaid felltio, gan godi gwrychyn, ac yna gwnaeth ei chynffon chwyddo. Yn y diwedd ffrwydrodd y gath yn belen o dân a diflannu i fyny'r simdde. Yr eglurhad a roddwyd oedd fod rhieni'r ddwy hen ferch wedi gwerthu'r ddwy i'r diafol yn gyfnewid am gyfoeth a bod y diafol yn cadw llygad arnynt ar ffurf y gath. Trwy gael gwared â'r gath, rhyddhawyd y ddwy ferch o gadwynau'r diafol.

Immediately downstream of Llyn Geirionydd lies the remains of the famous Klondyke lead and zinc mine. Famous in its own right as a bona fide mine, events in the closing years of the mine's life brought infamy to the name. Joseph Aspinal was a smooth-talking London socialite who acquired the mine in 1918 and immediately invested money to renovate the place. The renovations were purely cosmetic and turned it into an impressive film set of a mine, complete with working 'extras'. Aspinal, it transpired, was more interested in mining the wealth of rich investors in London, mostly wealthy widows, rather than mining ores. He wined, dined and wooed his suitors, and on tooting his car horn on the hill up to the Klondyke, his cast jumped into action, portraying a hive of activity carving the rich veins of Snowdonia. The potential investors were impressed enough to part with vast amounts of cash to sink in the shafts. Suspicions arose locally, and Aspinal was rumbled. He was found guilty of fraud to the tune of £133,000 and was sentenced to 20 years hard labour in January 1920.

Another local moral tale concerns two old ladies and a black cat. Suspicions arose when the cat's age came into question. The cat had been passed down the generations and was ancient. Also the ladies were rich without having worked a day in their lives. A local minister offered to read the scriptures, and they refused at first, but eventually relented. The cat became agitated, before bursting into a fireball and vanishing up the chimney. The ladies had been rid of the devil who'd possessed them and who had kept watch over them as a black cat; thereafter they lived the rest of their lives free from sin.

Llynnau Gamallt

Y Migneint a Ffestiniog

7

Llyn Tryweryn

Llyn Tryweryn

Llyn bychan ydyw sy'n gorwedd o dan y briffordd o Drawsfynydd i'r Bala ar ben uchaf Cwm Prysor. Mae'r enw'n aml yn cael ei gymysgu ag enw'r gronfa islaw, sef Llyn Celyn sy'n cronni afon Tryweryn. Mae'r safle'n anial ac mae'r llyn yn aml yn rhewi yn y gaeaf. Mae croesffordd gerllaw a ffordd yn arwain ohoni dros y Migneint i Ffestiniog ac ychydig gannoedd o lathenni ar ei hyd mae Pont Tai Hirion. Pont fwa Rufeinig ydyw a oedd yn rhan o lwybr Sarn Helen – y briffordd Rufeinig enwog sy'n arwain o Aberconwy i Gaerfyrddin am tua 160 milltir. Roedd Sarn Helen yn rhan o rwydwaith o ffyrdd lleol ac roedd rhan ohoni'n arwain i gaer Tomen y Mur yn Nhrawsfynydd. Mae rhannau o'r ffordd yn llwybrau cyfarwydd i ni heddiw, fel yr A487 rhwng Corris ac afon Dyfi, tra bod rhannau eraill wedi diflannu'n llwyr.

Bu fferm Nant Ddu ger y llyn yn ganolfan bwysig ym maes celf gain. Daeth yr artistiaid James Innes (1887–1914) ac Augustus John (1878–1961), dau o brif artistiaid dechrau'r ugeinfed ganrif i aros yno yn hafau 1911 ac 1912. Mae llun Innes o'r Arennig ymhlith casgliad presennol oriel y Tate ac er bod ganddo bersonoliaeth stormus, a bywyd carwriaethol tymhestlog dros ben, tyngodd ei fod fwyaf hapus yn arlunio ar lannau Llyn Tryweryn.

Nowadays situated by the main road from Bala to Trawsfynydd, Llyn Tryweryn once stood by the important Roman route – Sarn Helen running north-south from Aberconwy to Carmarthen – and the Roman bridge Pont Tai Hirion which can be seen to the north of the lake. The area was often frequented by artists James Innes and Augustus John in the 1910s, and Innes' painting of Arennig is part of the Tate collection.

Llyn y Garn, Llyn Conglog Mawr, Llyn Conglog Bach a Llyn Cors y Barcud

Fri ar y clogwyn uwchlaw Cwm Prysor mae gwely hen reilffordd Great Western a fu'n rhedeg ar un adeg rhwng Trawsfynydd a'r Bala. Roedd gweld hen drên stêm yn mynd ar hyd y cledrau yn uchel ar lethrau'r graig siŵr o fod yn olygfa gwerth chweil, gan fod y pontydd bwa yn cario'r cledrau dros ambell fwlch neu hafn yn y graig. Heb fod ymhell, yn uwch i fyny'r clogwyn, mae Llyn y Garn. Dyma gychwyn ar ardal anial sy'n ymestyn o Gwm Prysor draw hyd at Ffestiniog, ac yn y pen draw dros y Migneint yr holl ffordd i Benmachno. Gellir cysylltu Llyn y Garn heb os â Chwm Prysor, ac mae Castell Prysor dafliad carreg o'r llyn.

Roedd y castell hwn yn hynod bwysig yn ei dro oherwydd ei safle allweddol ar lawr Cwm Prysor, a hynny o Oes y Rhufeiniaid drwy Oes y Tywysogion hyd at deyrnasiad Iorwerth I. Castell tomen a beili ydoedd ac yn Oes y Tywysogion byddai'n gwarchod y ffin rhwng teyrnas Ardudwy a Gwynedd. Mae'n debyg bod y castell yn rhan o ymerodraeth Gwynedd hyd at Ardudwy a Meirionnydd yn dilyn marwolaeth Owain Gwynedd a chodwyd y castell gan un ai Cynan ab Owain Gwynedd neu ei fab, Gruffudd ap Cynan ab Owain Gwynedd, i atgyfnerthu eu dylanwad yn ne'r deyrnas.

Ganrifoedd yn ddiweddarach agorwyd y lein reilffordd o'r Bala i Drawsfynydd ar y 1af o Dachwedd 1882 a chysylltwyd y Bermo, Dolgellau, y Bala a Llangollen â Rhiwabon. Y bwriad oedd manteisio ar y twf yn y diwydiant llechi ym Mlaenau Ffestiniog. Mewn gwirionedd, bychan iawn oedd y galw am gludo llechi ar hyd y llinell Great Western hon drwy fod gan Ffestiniog ei llinell reilffordd ei hun (sy'n dal i redeg i Borthmadog), ac mae yna linell LWNR i'r gogledd hefyd. Roedd diwydiant, ac yn enwedig y diwydiant llechi, yn dal yn ddibynnol ar longau i gludo'i lwythi, nid yn unig i bedwar ban byd ond hefyd yn weddol leol. Roedd llongau Porthmadog yn cludo llechi Ffestiniog i bellafoedd byd, ond roedd llongau Caernarfon yn diwallu anghenion cymharol leol – llongau arfordirol oedd y rhain yn helpu i doi dinasoedd Lerpwl, Manceinion a Dulyn, yn ogystal â threfi llawer iawn nes. Daeth y galw mwyaf ar y rheilffordd heibio i Lyn y Garn wrth symud milwyr yn ystod y Rhyfel Mawr. Roedd gwersyll milwrol enfawr yn Nhrawsfynydd yn hyfforddi dynion i ymladd yn y ffosydd a rhaid oedd eu symud o'r dinasoedd i Gymru, ac oddi yma i Ffrainc a Gwlad Belg, siwrnai unffordd, yn anffodus, i lawer gormod o fechgyn ifainc fel Hedd Wyn.

Yn uchel yn y mawndir uwchlaw Cwm Prysor y tardda afon Prysor ond mae'n cychwyn ar ei thaith i gyfeiriad gogleddol, cyn troi fel pedol tua'r de i Gwm Prysor. Mae'r afon yn rhedeg am 14 milltir trwy Gwm Prysor i Lyn Trawsfynydd, cyn llifo i lawr ceunant Llennyrch i afon Dwyryd. Mae'r creigiau o amgylch yn cynnwys aur, ac roedd cloddfa aur Arennig gerllaw yn cynhyrchu aur coch Cymru am flynyddoedd. Roedd cloddfa aur hefyd ar lethrau Moel y Croesau gerllaw, â'r enw mawreddog Cloddfa Prince Edward, ond fe'i gelwir weithiau'n gloddfa Bwlch y Llu.

Llyn y Garn

O'r creigiau hyn y daeth yr aur i lunio modrwy briodas Sophie, gwraig y Tywysog Edward, yn 1990.

Daeth Moel y Croesau yn ffordd awyren y Llu Awyr ar yr 20fed o Dachwedd 1943. Roedd yr awyren Wellington yn hedfan o Hwlffordd yn Sir Benfro pan benderfynodd y peilot geisio canfod ei union leoliad trwy ostwng yr awyren o dan lefel y cymylau; yn anffodus roedd Moel y Croesau o'i flaen ac fe darodd ochr y mynydd. Llwyddodd dau i oroesi ond roedd un wedi torri ei gefn, ac yn wir wedi ei blannu mor ddwfn yn y gors yn ymyl Llynnoedd Conglog nes y bu'n rhaid i griw lleol dreulio cryn amser yn ei ryddhau. Treuliodd weddill ei ddyddiau mewn ysbyty yn Sir Amwythig yn dioddef o'i anafiadau.

Bychan iawn ydy Llyn Cors y Barcud, a llai fyth yw'r llyn bychan sydd ychydig yn uwch na hwn, sef Llyn Pen y Foel Ddu. Dau bwll bychan ydyn nhw yn y bôn sy'n cronni yn y mawndir corslyd. Ar wahân i dipyn o gloddio am aur does dim wedi tarfu ar dawelwch y gornel anghysbell hon o Sir Feirionnydd dros y canrifoedd.

Mae'r enw Llyn Cors y Barcud yn tystio nid yn unig i'r lleoliad corsiog (yn wir mae pob llyn ar y Migneint yn gorsiog!), ond i bresenoldeb cyson y barcud. Oherwydd iddo gael ei hela'n galed, ac i'r defnydd o wenwyn ddod yn gyffredin yng nghefn gwlad a chanfod ei ffordd trwy'r gadwyn fwyd at y barcud, diflannodd un o adar harddaf Cymru o'r tir. Dim ond llond dwrn o barau oedd yn dal yn fyw pan ddechreuwyd eu hamddiffyn a'u cynorthwyo i fagu. Roedd y sefyllfa hyd yn oed yn waeth yn Lloegr a'r Alban lle diflannodd yr aderyn yn llwyr.

Fel y daeth cadwraeth i sylw pobl, dechreuwyd gwarchod ei diriogaeth, ond roedd yr aderyn dan fwy o bwysau gan ddyn

Llyn Conglog Mawr

Llyn Cors y Barcud

structure is much more recent, but again defunct – the railway line connecting Barmouth and Ruabon, snaking its way up the valley and over the magnificent viaduct further east. The first trains ran in 1882, but Beeching's axe fell and the line was closed in the 1960s.

Llyn y Garn is the source of the river Prysor and the hills surrounding the lake contain the most precious of commodities – Welsh Gold. Several small scale mines have operated here, including the grandly named Prince Edward mine, or Bwlch y Llu, where the gold was mined for Sophie Windsor's wedding ring in 1990. The mines are silent today, as are all the Meirionnydd goldmines, but they do have stockpiles of the rare red metal.

The Barcud in the name Llyn Cors y Barcud refers to the Red Kite, a magnificent bird once found in abundance all over Wales, but which faced extinction after being hunted down to a handful of breeding pairs. When conservation came into vogue, the species had totally disappeared in England and Scotland. The most dramatic turn-around in fortune was under way, however, and the breeding birds increased tenfold, to the extent that today an estimated 250 pairs of breeding pairs live in Wales, and the bird was nominated bird of the century by the RSPB.

oherwydd prinder ei wyau. Rhaid oedd i wirfoddolwyr yr RSPB warchod y nythod ddydd a nos, a defnyddiwyd byddin y Gurkhas i gynorthwyo â'r gwaith. Yn ara' deg trodd y llanw a dechreuodd cefn gwlad Cymru weld cynnydd yn y niferoedd. Mynyddoedd y Cambria yn y canolbarth ydy cadarnle'r aderyn a bellach tybir fod dros 250 o barau'n magu'n llwyddiannus bob blwyddyn. Bu'r ymgyrch mor llwyddiannus nes i'r Barcud Coch gael ei ethol yn aderyn y ganrif yn 1999, a chyn bo hir mae'n debyg y bydd yn dychwelyd i Lyn Cors y Barcud unwaith eto.

Mae cloddfa aur fechan arall gerllaw o'r enw Nant Gefail y Meinars, er fod hon wedi ei chladdu erbyn hyn dan goedwig Ffridd Nant Crethyll.

Sitting high above Cwm Prysor, Llyn y Garn overlooks two important structures in this area's history. Firstly, a rocky pile in the middle of Cwm Prysor is the remains of Castell Prysor, an important defensive structure for a millennium and a half, from pre-Roman times to the conquest of Edward I. The second

Llyn Dubach y Bont, Llyn Morwynion a Llyn y Drum

Llyn Dubach y Bont yw'r lleiaf o'r ddau lyn Dubach; nid yw'r llall o fewn ffiniau Parc Cenedlaethol Eryri. Mae'r llyn yn enwog yn yr ardal gan ei fod mewn safle poblogaidd ar ochr y ffordd heb fod ymhell o Bont yr Afon Gam, lle mae'r priffyrdd mynyddig yn cyfarfod ar eu taith o Ffestiniog, Penllyn a Phenmachno. Oherwydd ei enwogrwydd gyda physgotwyr enillodd ei blwyf fel tair erw o ddŵr mwyaf poblogaidd y Migneint!

Wrth deithio o gyfeiriad y dwyrain, daw toriad i undonedd corsydd unig y Migneint wrth i domenni o lechi llwydion ddechrau codi fel twmpathod tyrchod daear bychain. Ymhell o hagrwch y clogwyni llechi i'r gogledd-orllewin, mae'r rhain bron

Llyn Dubach y Bont

fel cofnod o amser penodol yn hanes yr ardal pan gychwynnwyd ar y gwaith cloddio yng nghrombil y mynyddoedd.

Bu ardal Llyn Dubach yn ddihangfa i lawer dros y cenedlaethau rhag diwydiant Ffestiniog islaw. Roedd Pont yr Afon Gam gerllaw yn hawlio statws gorsaf betrol uchaf Cymru am flynyddoedd, ac mae miloedd wedi tyrru i wylio afon Cynfal yn rhaeadru ei ffordd i lawr llethrau Cwm Cynfal.

Ychydig uwchlaw'r cwm, cangen o Ddyffryn Ffestiniog fel petai, mae Llyn Morwynion. Dyma un o atyniadau pennaf yr ardal, yn boblogaidd gan gerddwyr a 'sgotwyr, ac mae'r llyn yn hynod o naturiol o gofio cynifer o greithiau diwydiant sydd o'i amgylch. Mae'n llyn eithaf mawr o'i gymharu â llynnoedd rhostir niferus yr ardal, a dyma ran o'i apêl.

Mae ei leoliad poblog ers canrifoedd wedi cyfrannu at y trwch o chwedlau sy'n gysylltiedig â'r llyn. Mae ei enw'n cael ei esbonio gan fwy nag un stori. Yn gyntaf, cawn hanes rhyfelwyr

Llyn Morwynion (Cwm Cynfal)

Ardudwy a fu'n ddigon hy i deithio i Ddyffryn Clwyd i chwilio am ferched i'w defnyddio fel morynion. Roedd prinder mawr o ferched yn Ardudwy, a chlywyd sôn fod digon ohonynt ar gael yn Nyffryn Clwyd. Gweithiodd y cynllun i'r dim; ymosodwyd ar bentrefi Dyffryn Clwyd yn ystod y nos, ac roedd y fintai o filwyr o'r gorllewin, a'r merched o'r dwyrain, ar eu ffordd i Ardudwy erbyn y bore. Sylweddolodd dynion Dyffryn Clwyd beth oedd wedi digwydd a chasglwyd byddin ynghyd i geisio dal dynion Ardudwy ar eu ffordd adref. Daeth y ddwy fyddin ynghyd ar y Migneint a bu cryn frwydro. Lladdwyd holl filwyr Ardudwy a rhyddhawyd y morynion. Fodd bynnag, roedd y merched wedi disgyn mewn cariad â'r milwyr erbyn hyn ac yn eu galar aeth y cyfan ohonynt i'r llyn a boddi. Mae nifer o enwau lleoedd lleol yn gysylltiedig â'r chwedl ac mae llecyn o'r enw Beddau Gwŷr Ardudwy ar lan y llyn gan mai yno (heb fod ymhell o Sarn Helen) y claddwyd y milwyr. Mae ffermdy gerllaw o'r enw Tŷ Nant y Beddau a Bwlch y Wae oedd lleoliad y frwydr medden nhw.

Mae cysylltiad cryf rhwng Meirionnydd a stori Lleu Llaw Gyffes yn y Mabinogi. Er fod rhan helaethaf y gainc yn digwydd yn Nyffryn Ardudwy a Dyffryn Nantlle, mae Llyn Morwynion yn chwarae ei ran. Mae Gwydion y dewin a Math yn llwyddo i greu gwraig o flodau i Lleu, a honno wedyn yn bradychu ei gŵr yn Ardudwy trwy gynllwynio â Gronw Pebr i'w ladd. Trwy dwyll dônt i wybod sut i wneud hynny, gan orfodi Gwydion i'w achub o ffurf eryr pydredig ar lan Llyn Nantlle. Daw Gwydion a Lleu wedyn i erlid Blodeuwedd a'i morynion i Domen y Mur (gweler Llyn Trawsfynydd yn y bennod nesaf). Llwydda Blodeuwedd a'i mintai i ddianc ond wrth ffoi i fyny Cwm Cynfal maent yn canolbwyntio gymaint ar yr hyn sy'n digwydd y tu ôl iddynt nes methu gweld y llyn a disgyn ar eu pennau ac mae'r morynion oll yn boddi.

Llyn bychan iawn yw Llyn y Drum, ychydig uwchlaw Llyn Morwynion, dim mwy na phwll go fawr a dweud y gwir sy'n cronni rhwng tri chlogwyn yn uchel rhwng Cwm Cynfal a Chwm Teigl. Mae olion Chwarel y Drum ger y llyn, ond gan iddo gau ers peth amser, mae natur yn adennill y tir yn ara' deg. Mae cen llwyd wedi cael gafael ar y garreg, ac yn ei dro mae mwsogl yn cael digon i fyw arno gan y cen. Wrth i'r ecosystem ifanc ddatblygu, daw ychydig o bridd i lenwi'r craciau a'r cerrig yn cael llonydd i adael gwair i hadu, gan dyfu a llenwi'r bylchau. Wrth i'r system lwyddo i ddal gwell gafael ar ddŵr glaw gwelwn y grug a'r rhedyn yn ymsefydlu, ac os bydd defaid a geifr yn cadw draw bydd y chwarel wedi ei guddio dan goed ymhen hir a hwyr gan droi'r tirlun yn ôl mewn cylch i'r cyfnod cyn-ddiwydiannol.

Far from maddening industry, or so it seems, Llyn Dubach and Pont yr Afon Gam have attracted the masses for generations – as a peaceful roadside location, popular angling spot and the convergence point of the mountain roads from Bala, Ysbyty Ifan and Ffestiniog. The junction was the site of the claimed 'highest filling station in Wales' until its recent closure.

Llyn Morwynion is named after the maidens once captured by soldiers from Ardudwy to the west. The story begins when drastic measures were called upon to solve the dearth of young women in Ardudwy and subsequent lack of maids. A band of soldiers was despatched to the Clwyd valley, where women were plentiful, and the midnight raid worked. On their way back west, somewhere near the lake, the men of the east caught up with them and an almighty battle took place for the women. All the men of Ardudwy were killed, but somehow or other the abducted maidens had fallen in love with their captors and apparently committed suicide in the lake, 'morwynion' being the Welsh for maidens.

Llyn y Drum is almost a pond, but not quite! This tiny body of water nestles beneath three crags between Cwm Cynfal and Cwm Teigl. The long-abandoned Drum Quarry is slowly being taken over by nature, by virtue of being left alone. The lichen-based ecosystem gives way to the mosses and grasses, then the heather and bracken, before the system will eventually return to woodland – if left alone by the sheep and goats.

Llynnau Gamallt,
Llyn Bryn Du a Llyn y Frithgraig

Llynnau Gamallt

Mae bron pob un o lynnoedd y Migneint yn cario traddodiad pysgota cryf; roedd perchnogaeth Stad y Penrhyn yn sicrhau bod y llynnoedd yn cael eu stocio'n dda er mwyn diddanwch y crach. Cafodd Llynnau Gamallt hefyd eu stocio'n helaeth ddiwedd y 1950au fel cildwrn i'r pysgotwyr lleol oherwydd i Lyn Stwlan gael ei droi'n ran o orsaf bŵer Ffestiniog. Rhoddwyd tua 5,000 o bysgod yn Llynnau Gamallt i gyd.

Daw hen lwybr cyfarwydd Sarn Helen heibio heb fod ymhell o'r llyn i'r gogledd ar ei ffordd rhwng Cwm Teigl a Chwm Gamallt. Gerllaw hefyd y mae ffrwd fechan gorsiog ac iddi'r enw gwych Nant Drewi, cyfeiriad at yr holl nwy methan sy'n codi o'r gors efallai?

Rhwng Llynnau Gamallt a Llyn y Frithgraig mae llyn bychan yn gorwedd yng nghysgod nodweddiadol craig y Clochdy. Tirlun mawnog, corslyd a grugog yw'r ardal o gwmpas y llyn, ardal sy'n hynod o ddiarffordd ond sy'n cynnig golygfeydd yn ymestyn o Borthmadog, y Manod Mawr ac ymhellach am yr Wyddfa, y Glyderau a'r Carneddau a draw am Gwm Penmachno. Wrth gerdded ar hyd glannau'r llyn, a gosod y camera i dynnu'r llun, cefais gryn dipyn o sioc o glywed ffrwydrad yn diasbedain ar draws Cwm Teigl. Roedd y glec yn arwydd bod cloddio am lechi o grombil y Manod Mawr yn dal i ddigwydd. Nid yw Chwarel Cwt y Bugail, fel y'i gelwir yn lleol, ond dafliad carreg o'r llyn ar draws pen uchaf y cwm, ac mae'n chwarel sy'n berchen ar gyfrinach anhygoel sy'n mynd yn ôl i ddyddiau tywyllaf yr Ail Ryfel Byd. Pan oedd lluoedd y Luftwaffe yn rheibio dinasoedd Prydain ar eu gwaethaf, daeth penderfyniad o Whitehall yn Llundain i symud trysorau orielau ac amgueddfeydd Llundain i ddiogelwch cefn gwlad Cymru. Roedd crombil y mynydd hwn yn ddelfrydol. Doedd diffyg lle ddim yn broblem dan ddaear gan fod y chwarelwyr wedi cloddio siamberi enfawr yn ddwfn yn y graig, ond rhaid oedd rheoli'r amgylchfyd lle byddai'r trysorau amhrisiadwy yn cael eu storio. Llwyddwyd i adeiladu

system awyru i'r mynydd, a phan oedd y ceudyllau'n barod am eu gwaith celf symudwyd y cwbl mewn lorïau dan esgus danfon siocled o ffatri yn Llundain. Yn eu plith roedd 19 llun gan Rembrandt yn ogystal â lluniau gan Van Dyke, da Vinci a

Llyn Bryn Du

Gainsborough a holl drysorau'r Goron. Cadwodd y Goron eu gafael ar y ceudyllau am ddeugain mlynedd wedi diwedd y rhyfel gan gyflogi dau frawd lleol i warchod y safle a chadw'r system awyru mewn cyflwr da.

Tebyg iawn ydy Llyn y Frithgraig i nifer o lynnoedd eraill y Migneint – bychan, bas a chorslyd. Mae Clogwyn y Frithgraig, fodd bynnag, yn cynnig golygfeydd dros Gwm Penmachno. Cysylltir yr ardal â nifer o straeon am nadroedd. Mae chwedl yr Afanc a gludwyd mewn cadwyni o'r cwm gan ddau ychen i Laslyn ar lethau'r Wyddfa yn wybyddus, ond mae chwedl debyg yn dyddio o'r un cyfnod yn ymwneud â gwiber. Bu'r wiber hefyd yn aflonyddu ar drigolion yr ardal am ganrifoedd, yn ôl rhai. Roedd yn byw'n gyfforddus ar ddŵr ac ar dir, ac yn poeni pobol yr ardal a'u hanifeiliaid. Rhaid oedd cael gwared ohoni, ond doedd 'run ffagl na rhwyd yn ddigon o feistr ar y wiber. Penderfynodd cymeriad, a oedd, yn ôl y sôn, yn un o Wylliaid Hiraethog, roi diwedd ar y poeni a mynd ati i'w lladd. Roedd yr ymladdwr, serch hynny, yn poeni am ei les ei hun ac aeth i weld dewin neu ŵr doeth i gael cyngor ar ddiogelwch. Y cwbl y gallai'r dewin ddweud wrtho oedd pa ffordd y byddai'n marw, sef gan frathiad gwiber. Penderfynodd roi'r gorau i'w gynlluniau. Ond daeth yr awydd i drechu'r wiber yn ôl ac aeth i ymweld â'r dewin unwaith eto, gan guddio dan wedd a gwisg gwahanol. Y tro hwn marwolaeth trwy dorri ei asgwrn cefn a broffwydodd y dewin. Er mwyn profi mai hap a damwain oedd proffwydoliaethau'r dewin aeth yn ôl eto a'r tro hwn darogan marwolaeth trwy foddi a wnaeth y gŵr doeth. Roedd yr anturiaethwr yn ffyddiog erbyn hyn ei fod yn saff ac aeth i geisio lladd y neidr.

Llwyddodd, wedi cryn chwilio, i'w chanfod ar glogwyn serth uwchben yr afon ac aeth ati i ymaflyd â'r creadur. Llwyddodd y wiber i'w frathu'n gas yn ei law a bu'r boen yn ddigon iddo lithro i lawr y clogwyn, taro ei wddf mewn boncyff gan dorri asgwrn ei gefn a disgyn i'r afon islaw a boddi. Roedd y dewin yn iawn ac roedd y wiber yn saff. Doedd dim lladd arni yn ôl pob golwg er i rai geisio ei saethu hefyd. Bu'r wiber fyw am ganrifoedd er poen i drigolion yr ardal. Mae ardal y Wybrnant heb fod ymhell; tybed, felly, a oes yna gysylltiad? Mae ardal Rhyd y Gwenwyn ger Penmachno hefyd yn gartref i chwedl y sarff a saethwyd, ac a fwriodd ei gwenwyn i'r tir wrth iddi farw, ac mae'r arogl yn dal i'w glywed yn y coed hyd heddiw, medden nhw.

Llynnau Gamallt have yet more strong angling heritage. Stocked, and managed by generations of the Penrhyn family, it was also stocked by the CEGB in the 1950s as compensation for developing Stwlan as a power station. Our old friend, Sarn Helen the Roman Road, trundles nearby on its route south.

Typical of the small boggy lakes in this part of the world, there is nothing remarkable about Llyn Bryn Du. Across the upper part of Cwm Teigl, a slate quarry keeps a very remarkable wartime secret. Manod quarry's cathedral-like caverns deep underground were chosen by Winston Churchill as the location for the safe-keeping of Britain's national treasures from the museums and galleries of London. Rembrandts, Van Dykes and Gainsboroughs were carted up to this remote part of the world disguised as a chocolate delivery, and were kept underground in specially adapted air-conditioned caverns. Among other treasures to adorn this unlikely gallery were Leonardo da Vinci paintings and the entire Crown Jewels.

There are numerous legends of mighty beasts troubling the folks of this area, from the dragon-cum-beaver, named the Afanc, to the viper who tormented people and animals for years. A local have-a-go hero decided to try and kill the snake and consulted a wise man to predict his future. He was told he would die from a snakebite. After lying low for a few years, he still fancied the challenge and approached the sage again, under a different guise, and was told he would die by breaking his back. Convinced the predictions were random, he visited again and was told he would meet his end by drowning. The various predictions gave him confidence to tackle the mighty adder. Having found the beast on a cliff above the river he tackled the task head on, but in the meleé was bitten by his quarry, fell down the cliff, crashed onto a tree breaking his back and drowned in the river. The old man was right. The snake lived for centuries, gaining even greater notoriety.

Llyn y Frithgraig

Llyn Dyrnogiad

Ychydig i'r gogledd o dref Blaenau Ffestiniog mae'r briffordd sy'n ffurfio asgwrn cefn Cymru yn arwain i fyny at ei man uchaf – Bwlch y Gorddinan (neu'r Crimea fel y'i gelwir gan rai) – sy'n cyrraedd uchder o 1,263 troedfedd. Wrth godi o ymyl y ffordd ar y grib mae Moel Dyrnogiad yn esgyn i gopa o 524 metr, ac mae'r llyn yn cuddio ychydig o dan ei grib. Pan godwyd y ffordd dros y bwlch yn ystod y bedwaredd ganrif ar bymtheg roedd cwmwl Rhyfel y Crimea dros Ewrop ac fe godwyd tafarn ar ben y bwlch a'i enwi ar ôl y frwydr. Yn ôl y sôn defnyddiwyd carcharorion rhyfel Rwsiaidd i godi'r waliau ar y ffordd newydd, milwyr a gipiwyd ym mrwydrau Balaclava ac Inkerman.

Gannoedd o droedfeddi yn union o dan y llyn mae twnnel trên Blaenau Ffestiniog. Hwn yw twnnel trên un llinell hiraf Prydain ac mae'n ymestyn am dros ddwy filltir a hanner gan gysylltu Blaenau Ffestiniog â Betws-y-coed. Cloddiwyd y twnnel rhwng 1874 a 1879 gan alluogi trenau cyffredin i gludo llechi o chwareli enfawr Blaenau Ffestiniog. Ychydig i'r de o'r llyn mae adeilad bychan crwn i'w weld yn y caeau. Dyma ran uchaf un o ddwy simdde sy'n awyru'r twnnel islaw. Mae'r simneiau'n ymestyn dros 120 troedfedd i'r graig ac roeddynt yn chwarae rôl bwysig yn ystod oes y trenau stêm.

Llyn Dyrnogiad

Two vital transport links pass within a few hundred yards of this remote lake. Firstly, to the east, the A470 north-south link reaches its highest point at 1,263 ft. Built during the Crimean War by Russian prisoners of war, an inn was situated at the apex and named in memory of the conflict. The inn no longer stands but the name prevails in the pass. The Blaenau Tunnel passes directly beneath the lake and at over 2 ½ miles is the longest single track tunnel in the UK. Its air vents protrude to the mountainside on either side of the lake.

Llyn Conwy, Llyn y Dywarchen a Llyn Serw

Llyn Conwy, yn draddodiadol, yw tarddiad afon Conwy. Ai'r llyn sy'n rhoi ei enw i'r afon, neu'r afon i'r llyn, pwy a ŵyr? Fodd bynnag, hwn yn sicr yw llyn mwyaf y Migneint rhwng Penllyn a Ffestiniog. Llyn bas ydyw, sy'n gorwedd ar gorstir anial, eang, ac mae'n cael ei gyflenwi â dŵr o nifer o ffrydiau a ffosydd di-nod. Er fod y tir yn anial, mawnog a brwynog, mae'n nodweddiadol o nifer o ardaloedd ucheldir Cymru ac, wrth i'r blynyddoedd fynd yn eu blaenau, mae ei bwysigrwydd i fyd natur, ac yn wir i'r amgylchedd yn ehangach, yn cael ei werthfawrogi fwyfwy. Mae'n storfa garbon o bwys erbyn hyn, ac mae llai a llai o bwysau o du amaethyddiaeth i'w sychu a'i droi yn borfeydd. Er ei fod yn gymharol ddiarffordd mae nifer o awduron wedi ei grybwyll dros y blynyddoedd, gan gynnwys Thomas Pennant ar ei daith drwy Gymru yn ystod y ddeunawfed ganrif, George Borrow yn 1854 a Wilson a Joan MacArthur yn eu nofel *The River Conwy* (1952). Mae'n syndod faint o feirdd a llenorion sy'n cael eu hysbrydoli gan weundiroedd a chorsydd gwlyb a mawnog.

Bu'r llyn yn bysgodfa bwysig dros y blynyddoedd. Tra oedd dan ofal Arglwydd Penrhyn byddai'n cael ei stocio'n gyson ac roedd hyn yn ei dro yn llenwi'r afonydd islaw â brithyll breision (roedd y potsiwrs lleol yn llenwi sawl plât bwyd, diolch i Stad y Penrhyn). Gadawodd criw o 'sgotwyr gyda 111 o frithyll yn eu basgedi wedi deuddydd o 'sgota ym Mehefin 1880. Er fod cynlluniau diweddar i geisio adfer lefelau'r pysgod yn y llyn trwy galchu'r tir o'i amgylch, mae lefelau'r asid yn y dyfroedd wedi suro'r dŵr, yn bennaf oherwydd yr holl blanigfeydd coed meddal sydd wedi ymddangos megis madarch yn yr ardal.

Mae chwareli llechi Cwm Penmachno yn y cyffiniau, yng nghysgod Moel Merchyria, o bwys diwydiannol. Fe ddatblygodd y pentref oherwydd y llechi a gloddiwyd o'r mynydd ac roedd y system yn unigryw yng Nghymru gan fod y tramffyrdd llethrog – yr inclêns – yn cario llechi i fyny'r llethrau drwy bŵer injan yn hytrach nag ar i lawr drwy bwysau disgyrchiant fel ymhobman arall.

Fel Llyn y Dywarchen, ym mhen uchaf Dyffryn Nantlle (gweler Pennod 3), tarddiad ei enw ydy'r hanes am ddarn o dir a fu'n arnofio ar wyneb y llyn. Mae tri llyn yn Eryri o'r enw Llyn y Dywarchen, (mae'r llall ar lethrau'r Rhiniogydd), ac mae cysylltiadau ag ynysoedd, boed yn rhydd i symud neu beidio, yn enwau'r tri. Mae enwau difyr yn rhoi darlun o amser a fu. Gerllaw mae Cerrig yr Ieirch yn tystio i'r ffaith y bu'r iwrch (*roebuck*) yn byw yn yr ardal ond mae ei fodolaeth bellach yn annhebygol gan fod cynefin yr iwrch yn gyfyngedig i goedwigoedd gan amlaf. Mae'n debyg fod y Migneint yn ardal llawer mwy coediog yn y gorffennol cyn i'r galw am goed gynyddu ac i ffermio defaid newid y tirlun. Gwelir creithiau chwarel lechi Moel Llechwedd Gwyn gerllaw, chwarel sydd ar ffin band llechi Ffestiniog.

Mae straeon Llyn Serw yn gysylltiedig â cherddorion yn fwy na dim arall. Cawn stori am delynor teithiol yn ennill ei fara menyn yn mynd o le i le yn diddanu gyda'r delyn. Wrth groesi'r Migneint heb fod ymhell o Lyn Serw cafodd ei hudo i ogof. Yno roedd rhwydwaith o dwnelau yn uno neuaddau enfawr, ond roedd y telynor erbyn hyn wedi hen golli crebwyll ar amser ac wedi mynd ar goll yn llwyr. Mae yno o hyd a gellir ei glywed yn canu'r delyn ar ambell noson lonydd glir ar y Migneint. Mae darn o dir ger yr ogof o'r enw Dôl y Telynor hyd heddiw.

Mae'r ardal yn frith o dwnelau, yn ôl y sôn, a'r rhain sy'n rhoi rhwydd hynt i'r tylwyth teg deithio'n ôl ac ymlaen. Un noson roedd pibydd, telynor a chrythor ar eu ffordd i Gastell Cricieth i ddiddanu'r uchelwyr pan gyfarfuont â dyn ar y Migneint. Llwyddwyd i'w ddarbwyllo i berfformio i'r dyn hwn, gan ei fod yn fodlon talu llawer mwy am eu talentau na chriw Castell Cricieth. Rhaid oedd i'r cerddorion grwydro drwy'r twnelau tanddaearol i gyrraedd eu cynulleidfa ond gwahanwyd y tri ac aethant ar goll. Crwydrodd y crythor am rai wythnosau, hyd nes iddo ddod allan i olau dydd yn Nant Gwynant. Roedd y sioc yn farwol iddo. Mae llecyn o'r enw Bedd y Crythor Du i'w weld yn yr ardal o hyd.

Most of Llyn Conwy's history over the past few centuries (apart from visits from certain literary figures) has involved angling. From the reign of the Penrhyn clan and fish stocking (and subsequent inevitable poaching) to the recent battle with acid rain, the sport of angling has been a way of life at this lake at the head of the river Conwy.

Three lakes share the same name (Llyn y Dywarchen) and all have connections with islands of some sort, some floating and some not (see Llyn y Dywarchen, chapter 3). Cerrig yr Ieirch nearby also speaks of the past, its name referring to the presence of roebuck when the area was forested centuries ago.

The underground caverns of the Migneint are legendary and linked by tunnels which occasionally surface. A harpist's curiosity once got the better of him during a long journey and he decided to explore the caverns, and never escaped, although his sweet music can be heard across the moors on quiet days. The *tylwyth teg* frequent these tunnels and three musicians were tempted underground by the little people in another tale, and roamed the caves for several weeks, before finally surfacing in Nant Gwynant. The shock was enough to kill the crowther and his grave is still marked in a spot named 'Bedd y Crythor Du' (The Black Crowther's Grave).

Llyn Conwy

Llyn Tegid

8
Penllyn

Llyn Tegid

Dyma heb os nac oni bai un o lynnoedd pwysicaf Eryri – yr enwocaf, y mwyaf ac o bosib yr un mwyaf poblogaidd. Does 'na 'run llyn yn Eryri sy'n destun cymaint o falchder yn lleol; Llyn Tegid yw cannwyll llygaid pobol Penllyn a dydy hynny fawr o ryfeddod o'i weld. Mae'n hynod anghyffredin ei faint ymhlith llynnoedd naturiol yr ardal, ac fe'i ffurfiwyd gan lawr dyffryn llydan, rhannol rewlifol, sy'n arwain o bentref Llanuwchllyn yn rhuban hir yr holl ffordd i dref y Bala tua'r gogledd-ddwyrain. Mae'n mesur pedair milltir o hyd, a thri chwarter milltir ar draws, ac yn plymio i dros 140 troedfedd o ddyfnder mewn mannau. Dyma un o'r ychydig enghreifftiau o lynnoedd mesotroffig ym Mhrydain (llynnoedd sy'n cynhyrchu llawer o lystyfiant sy'n arnofio – mae llawer o'r rhywogaethau hyn o ddiddordeb gwyddonol arbennig). Llyn naturiol ydy Llyn Tegid ac mae ei bresenoldeb dros y canrifoedd wedi cyfrannu'n helaeth at y cyfoeth o chwedlau sy'n gysylltiedig â'r ardal.

Chwedloniaeth yr ardal sy'n egluro bodolaeth y llyn yn y lle cyntaf a dweud y gwir. Dechreua'r hanes mewn gwledd fawreddog i ddathlu pen-blwydd mab cyntaf-anedig y Tywysog Tegid Foel. Yn ôl y stori, roedd Tegid Foel yn dirfeddiannwr creulon a chaled ac felly'n amhoblogaidd ymhlith y werin. Roedd yn byw mewn plasty enfawr ger tref y Bala ar lawr dyffryn ffrwythlon. Ond roedd un peth yn poeni Tegid – llais bach a sibrydai yn ei glust yn rheolaidd "dial a ddaw, dial a ddaw". Ymhen amser dechreuodd pobol hen dref y Bala glywed y llais hefyd, ond aeth y tywysog ymlaen â'i fywyd hunanol, creulon.

Daeth cyfeillion Tegid ynghyd i ddathlu pen-blwydd ei fab. Gorchmynnwyd telynor lleol o'r enw Dafydd i chwarae yn y wledd, ond clywodd hwnnw'r llais bach, "dial a ddaw, dial a ddaw". Sylweddolodd mai aderyn bach oedd yn sibrwd y geiriau, a bod yr aderyn yn ei annog i'w ddilyn. Dilynodd Dafydd Delynor yr aderyn yr holl ffordd i ben y bryniau, lle'r aeth i gysgu yn ystod y nos tra oedd llawr y dyffryn, hen dref y Bala a llys Tegid Foel yn disgyn dan flanced o niwl. Erbyn y wawr cliriodd y niwl ond roedd y cyfan wedi ei foddi dan ddyfroedd y llyn, llyn newydd o'r enw Llyn Tegid. Doedd dim byd wedi goroesi o'r llys na'r dref heblaw am delyn Dafydd yn arnofio ar wyneb y llyn.

Roedd Ceridwen, gwraig Tegid Foel, yn byw ar lannau Llyn Tegid ac yn fam i dri o blant – Creirwy, a oedd yn anhygoel o brydferth, Morfran, a oedd yn gryf ac yn hynod ddeniadol, ac Afagddu a gafodd ei enw oherwydd ei fod mor hyll! Roedd Ceridwen yn arbenigwraig ar berlysiau a ffisigau a dyfeisiodd driniaeth fyddai'n gwneud Afagddu yn ŵr doeth a proffwyd. Rhaid oedd i'r gymysgedd fudferwi ar dân ar lan Llyn Tegid am flwyddyn a diwrnod heb ferwi'n sych. Penododd Ceridwen was o'r enw Gwion Bach i ofalu am y crochan a'r tân, a gwnaeth Gwion hynny'n gydwybodol am flwyddyn gyfan, ond gyda dim ond diwrnod i fynd fe dasgodd peth o'r gymysgedd ar ei fys ac wedi ei lyfu cafodd y ddawn i broffwydo. Gwelodd Gwion yn syth fod Ceridwen yn bwriadu ei ladd wedi iddo gwblhau'r gorchwyl a phenderfynodd ffoi. Daeth ei ddihangfa yn un o erledigaethau gorau chwedloniaeth Cymru! Yn gyntaf trodd Gwion ei hun yn 'sgyfarnog, gan redeg nerth ei draed oddi wrth Ceridwen a oedd wedi troi ei hun yn filgi. Yn nesaf trodd Gwion yn bysgodyn, gan nofio i lawr afonydd a llynnoedd i geisio dianc, ond roedd Ceridwen yn ddyfrgi ac yn dynn wrth ei gynffon. Esgynnodd Gwion fel aderyn i'r awyr, ond trodd Ceridwen yn gudyll erbyn hyn ac fel yr oedd hi bron â'i ddal trodd Gwion yn ronyn o wenith, gan ymgolli ymysg miloedd o ronynnau eraill yn y cae. Roedd Ceridwen yn benderfynol o'i ddal ac fe drodd ei hun yn iâr, gan bigo ei ffordd trwy'r gwenith a llwyddo i'w fwyta yn y diwedd. Doedd Ceridwen yn dal ddim yn hapus, gan ei bod bellach yn feichiog gyda Gwion yn tyfu fel epil yn ei chroth. Wedi iddi roi genedigaeth, doedd Ceridwen (ar ffurf dynes unwaith eto) ddim am ladd ei babi, ond gosododd Gwion mewn bag a'i daflu i'r tonnau, gan adael i'r dŵr ei ddinistrio. Yma mae dwy chwedl arall yn cael eu plethu i'r stori ddifyr hon. Y gyntaf ydy chwedl Cantre'r Gwaelod, gan i Gwion gael ei achub gan Elffin, mab a etifeddodd y Cantre dan y môr gan ei dad. Tyfodd Gwion yn ddyn hynod o ddoeth ac yn broffwyd. Galwodd Elffin y bachgen yn Taliesin a daeth i fod yn fardd hynod ac yn ffigwr amlwg yn chwedloniaeth Cymru.

Llyn Tegid

Stori arall sy'n destun cryn chwilfrydedd ydy hanes Tegi, y bwystfil sy'n byw yn y dyfnderoedd. Tybed a oedd perchnogion busnes tref y Bala yn edrych yn eiddigeddus tua glannau Loch Ness yn yr Alban cyn i'r 'chwedl' hon ymddangos? Neu efallai bod Tegi yn gefnder pell go wir i'r enwog 'Nessy'!

Un o greaduriaid go iawn dyfnderoedd y llyn ydy'r gwyniad. Mae'r pysgodyn hwn yn hollol unigryw i Lyn Tegid. Mae'n perthyn i bysgod *Coregonus lavaretus* sydd i'w cael mewn llynnoedd yn Iwerddon a dwyrain Ewrop, yn enwedig Rwsia. Yn dilyn yr Oes Iâ ddiwethaf cafodd y pysgod eu gadael ar ôl, gan esblygu'n rhywogaeth ar eu pennau eu hunain. Creaduriaid eithaf ofnus ydy'r pysgod mewn gwirionedd, gan dueddu i fyw yn y dyfroedd oeraf ar waelod y llyn, er eu bod o bryd i'w gilydd yn cael eu dal â gwialen a lein ac ambell un yn pwyso heb fod ymhell o ddau bwys! Er eu hirhoedledd yn nyfroedd y llyn, credir fod bygythiad i'w bodolaeth wrth i lefelau glendid y llyn ddisgyn, ynghyd â lefelau ocsigen ym misoedd yr haf wrth i algae gwyrdd-las ddatblygu'n bla ar adegau o dywydd poeth. Mae cyfran o'r pysgod wedi eu symud i Lyn Arennig Fawr yn ddiweddar fel polisi yswiriant rhag i bysgod Llyn Tegid ddiflannu i gyd.

Llyn Tegid is one of Wales's greatest lakes and the story of its creation starts, so they say, with a character called Tegid Foel (Bald Tegid). A ruthless, tyrannical landowner, Tegid ruled with an iron fist, and the only niggle in his comfortable life was an incessant whispering of "revenge will come, revenge will come" coming seemingly from thin air, but despite the warning he carried on. In a feast at his palace on the fertile valley floor near the town of Bala which all his friends attended, the appointed harpist heard the mystical whispering. He noticed a little bird beckoning him to follow it beyond the palace and up the hills. As soon as the bird and the harpist reached the safety of higher ground, the whole valley floor was flooded and Tegid and his empire drowned. The only thing to survive the creation of Llyn Tegid was the harp floating on the lake.

Llyn Fawnog a Llyn Llymbren

O'i gymharu â llynnoedd eraill Penllyn, pitw iawn ydy Llyn Fawnog. Yn wir, ychydig iawn o'r boblogaeth leol sy'n gwybod am ei fodolaeth a phan es i i guro ar ddrws fferm perchennog y llyn i ofyn ei ganiatâd, cefais olwg ddigon od yn ôl am drafferthu mynd yno i dynnu llun o'r llyn o gwbl. Llyn Pwll Chwid a'i elwir gan rai'n lleol, ac mae hynny'n dweud y cyfan! Er hyn, mae'n llyn dymunol ynghanol un o ardaloedd prydferthaf Cymru, sef Rhyduchaf, y Bala. Dyma ardal o gyfoeth diwylliannol nad oes ei debyg yng Nghymru.

Ym mhentref Parc gerllaw y sefydlwyd Merched y Wawr ym 1967. Roedd cryn anniddigrwydd ymhlith aelodau Sefydliad y Merched ynghanol y 1960au wrth i hawliau'r iaith Gymraeg ddod i amlygrwydd. Roedd holl ohebiaeth y WI yn uniaith Saesneg, hyd yn oed cylchlythyr gogledd Cymru. Wedi peth trafod yn y wasg, sefydlodd gwragedd Parc eu cymdeithas eu hunain yn y pentref ac o fewn wythnosau roedd ail gangen wedi cyfarfod ym mhentref Ganllwyd. Bellach mae dros 280 o ganghennau ledled Cymru.

Dau o gopaon enwocaf Penllyn ydy'r ddwy Aran – Aran Benllyn ac Aran Fawddwy. Mae Llyn Lliwbrân (neu Llymbren fel y'i gelwir ar lafar gwlad) yn cuddio yng nghysgod clogwyni serth Aran Benllyn; yn wir mae rhai wedi ei enwi'n Llyn yr Aran neu Lyn Aran Benllyn. Mae'r llyn yn gorwedd yng Nghwm Croes sydd heb fod ymhell o Ffordd Bwlch y Groes, y ffordd wledig sy'n arwain o Lanuwchllyn i Ddinas Mawddwy. Dyma, heb os, un o ffyrdd gwledig gorau Cymru gyda'i chlogwyni serth yn disgyn yn syth o ymyl y ffordd i ychwanegu at y tirlun dramatig. Dyma ffordd fynyddig gyhoeddus uchaf Cymru, gan esgyn i 1,788 troedfedd ar ei huchaf ac yn cynnwys rhannau sydd mor serth â 1:4. Bu natur eithafol y ffordd yn atyniad i gwmnïau ceir yr Austin Motor Company a'r Triumph Motor Company ei defnyddio i brofi ceir newydd pan oedd cynhyrchu ceir mewn bri ym Mhrydain ddechrau'r ugeinfed ganrif. Daeth y bwlch hefyd i enwogrwydd fel rhan o ras feics y Milk Race yn ystod y 1970au a'r 1980au.

Rhan o grib o drindod o fynyddoedd ydy Aran Benllyn sy'n cynnwys Aran Fawddwy (sydd ond naw metr yn brin o fod yn rhan o glwb ecsgliwsif copaon Eryri dros 3,000 o droedfeddi ac, felly, y

Llyn Fawnog

copa uchaf ym Mhrydain i'r de o'r Wyddfa), ac yn y canol, Erw y Ddafad Ddu. Mae'r grib yn arwain yr holl ffordd o Lyn Tegid yn y dwyrain i Ddinas Mawddwy yn y gorllewin ac mae'n un o brif gribau de Eryri. Mae cysylltiadau cryf rhwng Aran Benllyn a chwedlau'r Brenin Arthur.

Roedd gan y Brenin Arthur nifer o ddoniau naturiol a goruwchnaturiol ac ymhlith y rhain roedd ei allu i ladd cewri.

Wrth deithio ar lethrau'r Aran gyda'i fintai o filwyr daeth ar draws y cawr enwog Rhita Gawr. Gwisgai Rhita glogyn amryliw enfawr wedi ei wau o farfau holl frenhinoedd Prydain a drechwyd ganddo. Dywedodd wrth Arthur am ei fwriad i ychwanegu ei farf yntau yn goron ar y cyfan a chytunodd y ddau i ymladd. Bu i Arthur orchfygu Rhita oherwydd ei ysgafnder troed a chladdwyd Rhita ar lethrau Aran Benllyn. Mae cysylltiad arall rhwng yr ardal a'r Brenin Arthur

Llyn Llymbren

Islaw'r llyn, ac ar lannau llyn enwog arall, mae un o bentrefi enwocaf Cymru, Llanuwchllyn. Dyma un o bentrefi Cymreiciaf Cymru, yn ôl y cyfrifiad. Mae dylanwad y pentref ar ddiwylliant Cymraeg Cymru yn amhrisiadwy ac mae'r pentref yn sicr wedi ei drwytho yn 'y pethe'.

A small duck pond of a lake high above the mighty Llyn Tegid, Llyn Fawnog, nevertheless, occupies one of the most beautiful corners of Wales as well as one of its most cultural. Home to several literary figures and poets, the hamlet of Parc was the birthplace in 1967 of Merched y Wawr. After widespread disillusionment among grass roots membership at the lack of will within the WI to accept the Welsh language, a new organisation was born. By the beginning of the 21st century there were more than 280 branches.

In a mountainous area of Wales, but an area which has surprisingly few lakes, smallish Llyn Fawnog fills the col right at the heart of Aran Benllyn. The area was once the stomping ground of King Arthur in his quest to kill giants. Here, on Aran Benllyn, he crossed swords with the greatest giant killer in the British Isles – Rhita Gawr who wore a cape made from the beards of all the giants he'd slain. Arthur's light-footedness, however, proved too much for Rhita and he was defeated and then buried on the slopes of the Aran.

Llyn Arennig Fawr a Llyn Arennig Fach

Mae Llyn Arennig Fawr, fel ei gymar Llyn Arennig Fach, yn dwyn ei enw oddi ar y mynydd gerllaw. Mae'r mynyddoedd hyn yn gonglfeini copaon yr ardal, ac mae'r llyn yn chwarae ei ran yn lleol trwy gyflenwi dŵr yfed i Benllyn er 1830. A Phenllyn yn ardal gymharol ddilychwin o ran diwydiant trwm, amaethyddiaeth sydd wedi effeithio fwyaf ar y tirlun ac mae defaid mynydd yn pori ar lethrau Arennig Fawr ers cenedlaethau. Gerllaw, fodd bynnag, gwelir copa digon di-nod Mynydd Nodol, ymhell o hagrwch diwydiant, lle bu cloddio helaeth am fanganîs ar y mynydd. Er fod

a hynny ger pentref Llanuwchllyn. Yno ceir Tre-gai, caer Rufeinig i bob golwg, a man geni Cei yn ôl traddodiad, sef un o filwyr llys Arthur (Sir Kay yn Saesneg). Mae rhai fersiynau o chwedl Arthur yn dweud iddo gael ei fagu yma yn Nhre-gai gyda Cei, ei frawd maeth.

Llyn Arennig Fawr

y mentrau'n gymharol aflwyddiannus bu cloddio yno er 1867, dan yr enw crand The Great Northern Manganese Mining Company. Roedd yr enw'n fwy mawreddog na'r llwyddiant, yn anffodus, a daeth y cloddio i ben ar ôl codi dim ond 50 tunnell o fwyn. Fel nifer o fentrau tebyg, ailddechreuwyd y gwaith yn ddiweddarach ond heb fawr o lwc.

Unig ydy'r tirlun anial mynyddig ac anodd dychmygu heddiw bod llinell reilffordd wedi rhedeg nid nepell o'r llyn; yn wir roedd gorsaf yn Arennig gerllaw. Daeth oes y llinell hon, a oedd yn cysylltu'r Bala a Ffestiniog, i ben yn dilyn cychwyn ar y gwaith o greu cronfa ddŵr Llyn Celyn. Daeth y teithwyr olaf heibio ar yr 2il o Ionawr 1960 a chludwyd y nwyddau olaf ychydig dros flwyddyn yn ddiweddarach. Lai nag ugain mlynedd ynghynt ar y 4ydd o Awst 1943, roedd criw y Flying Fortress o America yn ymarfer hedfan gyda'r nos pan darodd yr awyren yn erbyn copa'r Arennig Fawr gan ladd yr wyth oedd arni.

Lle bynnag y ceir dŵr ceir chwedlau'r tylwyth teg ac mae Llyn

Llyn Arennig Fach

Eryri yn ôl y sôn. Mae'n debyg i'r blaidd olaf ddiflannu, neu gael ei ladd yn fwy tebygol, tua dechrau'r unfed ganrif ar bymtheg, er iddo oroesi yn yr Alban ac Iwerddon hyd at y ddeunawfed ganrif. Cofir am oes y blaidd trwy nifer o enwau lleoedd Cymru, megis Castell y Blaidd ger Llanbadarn Fynydd ym Mhowys, Cae'r Blaidd, Llanffestiniog, a Tŷ Blaidd ym Mhenmachno.

Bu cloddio am fanganîs yma hefyd, tebyg i Lyn Arennig Fawr, ond yn eithaf aflwyddiannus. Mae ffawt fechan o fanganîs yn rhedeg o'r de i'r gogledd yn yr ardal, ond heb fod yn ddigonol i gynhyrchu mwyn ar raddfa fawr. Cyfrannodd y diffyg hwn, felly, at gadw'r tirlun ymhlith yr harddaf yng Nghymru.

Penllyn is almost completely devoid of the ravages of heavy industry and is a landscape sculpted by agriculture over the millennia. Mynydd Nodol, however, was a hub of manganese mining, but the grandly named Great Northern Manganese Mining Company never lived up to its name, extracting just 50 tonnes of ore.

Carnedd y Bachgen near Llyn Arennig Fach is named in memory of a farm boy who lost his way on the mountain in heavy weather only for his body to be found near the summit. Clogwyn y Bleiddiaid is a reference to a much earlier time when wolves still roamed these hills, but all that now remains are a few place-names scattered across Wales testifying to their existence at one time.

Llyn Celyn

Er fod ardal Penllyn yn ardal eang, ac yn un o ardaloedd prydferthaf Eryri, prin iawn yw'r llynnoedd a geir yma. Mae'r tirlun yn fwynach ac yn llai rhewlifol na gweddill ardal y Parc, ac felly mae'r llynnoedd creigiog crog mawnog yn diflannu ac yn gadael dyffrynnoedd ffrwythlon a luniwyd gan ddŵr yn hytrach na rhew. Er hyn, credaf fod dau o lynnoedd pwysicaf Parc Cenedlaethol Eryri ym Mhenllyn am ddau reswm hollol wahanol. Fel y gwelwyd, mae Llyn Tegid yn un o ryfeddodau naturiol Cymru, ond nid felly Llyn Celyn – cronfa ddŵr enwocaf Cymru heb os.

Arennig Fawr yn cyfrannu at y stôr. Daeth bugail o hyd i lo bach yn y brwyn ar lan y llyn ac aeth ag ef adref i'w fagu. Daeth y llo bach yn dad i nifer o loi bach ei hun yn ei dro. Eiddo'r tylwyth teg oedd y llo a gwelwyd un o ddynion y tylwyth teg yn canu ac yn chwarae'r ffliwt a galw ei wartheg yn ôl i'r llyn, gwartheg o'r enw Mulican, Molica, Malen a Mari.

Fel nifer o lynnoedd mynyddig sy'n cyflenwi dŵr, cafodd Llyn Arennig Fach ei ymestyn dros y blynyddoedd, ac yn yr achos hwn er mwyn cyflenwi tref y Bala. Nid yw'r Arennig Fach hanner mor boblogaidd gan gerddwyr â'i frawd mawr gan nad yw'r olygfa mor eang na'r dringo'n gymaint o sialens, ond mae'r ardal yn cyfrannu at chwedloniaeth leol. Ceir hanes enwi Carnedd y Bachgen gerllaw, er enghraifft. Aeth mab fferm Cae Gwernog (cartref mam Bob Roberts, Tai'r Felin) ar goll ar lethrau'r mynydd mewn tywydd garw. Canfuwyd corff y bachgen ger copa'r mynydd a'i draed noeth wedi eu lapio yn ei gap mewn ymgais ofer i'w gadw'n gynnes, a dyma godi carnedd ar ben y mynydd a'i enwi ar ei ôl.

Ceir hefyd Clogwyn y Bleiddiaid ger y llyn, cartref bleiddiaid olaf

Codwyd y wal ar draws Cwm Celyn rhwng 1960 a 1965 gan gronni dŵr afon Tryweryn. Mae'n llyn 2.5 milltir o hyd ac yn 140 troedfedd ar ei ddyfnaf. Mae'n dal 71.2 biliwn litr o ddŵr. Yn sicr, boddi Cwm Celyn i greu'r llyn oedd un o gynlluniau mwyaf dadleuol yr ugeinfed ganrif ac, yn wir, newidiwyd tirlun gwleidyddol Cymru, yn ogystal â'r tirlun gweledol a chymdeithasol, yn dilyn yr ymgyrch aflwyddiannus i atal boddi'r cwm. Daeth y weithred o foddi cwm a oedd yn gartref i gymuned fyw Gymraeg ei hiaith yn symbol o orthrwm estron ar ein cymunedau a'n hiaith ac yn fygythiad cynyddol i'n ffordd o fyw. Dyma gychwyn yr ymgyrch genedlaethol gyntaf dros un achos, a bu'n sbardun i ymgyrchoedd pellach yn y degawdau canlynol dros hawliau'r iaith Gymraeg.

Er y codwyd amheuon ynglŷn â pha mor angenrheidiol oedd y cynllun i ddarparu cymaint o ddŵr i ddinas Lerpwl, gan na wireddwyd erioed y galw a ddamcanwyd ar y pryd yr oedd ei angen, roedd cyngor y ddinas yn benderfynol o fwrw 'mlaen. Rhaid oedd cael sêl bendith San Steffan cyn cychwyn ar y gwaith, ond er i 35 o 36 Aelod Seneddol Cymru wrthwynebu (gwrthododd y 36ain bleidleisio) pasiwyd y cynnig a daeth y mesur preifat gan Gyngor Dinas Lerpwl yn Fesur Tryweryn ar Awst 1af 1959 gyda chefnogaeth llywodraeth Geidwadol Howard Macmillan a sêl bendith Henry Brooke, y Gweinidog Materion Cymreig. Mae llawer yn dweud i lwyddiant Plaid Cymru dros y degawdau wedi'r ymgyrch hon ddeillio o'r ffordd yr anwybyddodd San Steffan ddymuniad pobol Cymru.

Roedd yr ymgyrch yng Nghymru yn daer dros atal y cynllun, gyda nifer o bobol amlwg yn arwain gan gynnwys Ifan ab Owen Edwards, Megan Lloyd George, Tom Ellis ac Arglwydd Ogmore. Trefnwyd protest gan Blaid Cymru yn nhref y Bala ym Medi 1956 ac arweiniwyd y protestwyr ar rali trwy'r dref. Ym mis Tachwedd yr un flwyddyn arweiniodd Gwynfor Evans orymdaith yn Lerpwl i wrthwynebu'r cynllun; roedd cannoedd yn bresennol gan gynnwys 70 o drigolion Cwm Celyn. Daeth Gwynfor Evans â chynllun arall gerbron, cynllun a fyddai'n gyfamod rhwng anghenion dŵr Lerpwl ac achub pentref Capel Celyn. Y cynnig oedd codi wal ar draws Cwm Croes (lleoliad Llyn Llymbren ynghynt) a fyddai ond yn effeithio ar un fferm a fyddai, serch hynny, yn galluogi gwerthu digon o ddŵr i fodloni Lerpwl. Y gwir amdani oedd fod Lerpwl wedi hen benderfynu ar dynged Cwm Celyn ac ni fyddai dim byd yn newid eu meddyliau.

Bu sawl ymgais i darfu ar y gwaith o godi'r wal, yn enwedig rhwng 1962 a 1963. Ar y 10fed o Chwefror 1963 chwythwyd trawsnewidydd trydan i fyny ar y safle gan Emyr Llywelyn Jones a chafodd ei ddedfrydu i ddeuddeg mis o garchar. Ar yr un pryd ag yr oedd Emyr Llywelyn wedi ei ddedfrydu, chwythodd dau aelod o MAC (Mudiad Amddiffyn Cymru), sef Owain Williams a John Albert Jones, beilon i fyny yng Ngellilydan.

Er gwaethaf yr holl brotestiadau agorwyd y gronfa yn swyddogol gan Arglwydd Faer Lerpwl ar yr 28ain o Hydref 1965. Roedd storm o brotestiadau adeg y seremoni ac ymddangosodd nifer mewn gwisg filwrol FWA (Byddin Rhyddid Cymru) am y tro cyntaf ers ei sefydlu yn 1963. Carcharwyd nifer o'r arweinyddion yn 1969 gan gynnwys Cayo Evans, er nad oedd unrhyw dystiolaeth eu bod wedi cymryd rhan mewn gweithgaredd terfysgol.

Wrth foddi Cwm Celyn collwyd 800 erw o dir yn ogystal ag ysgol, swyddfa bost, capel a mynwent. Collwyd deuddeg fferm ynghyd â thir pedair fferm arall. Rhaid oedd symud nifer o gyrff o'r fynwent, ond gadawyd rhai yno gan fod codi cyrff a'u hailgladdu yn rhy anodd i rai perthnasau. Roedd gadael y cyrff o dan y llyn yn benderfyniad anodd hefyd. Boddwyd safle o bwys hanesyddol i'r Crynwyr wrth greu'r llyn, sef Hafod Fadog, tŷ cwrdd pwysig yn ystod cyfnod eu herlid yn yr unfed ganrif ar bymtheg, ac fe ymfudodd llawer ohonynt i Bensylfania yn 1682.

Llyn Tryweryn Mawr oedd yr enw gwreiddiol ond, yn dilyn llythyr at Gyngor Lerpwl, fe'i newidiwyd i Lyn Celyn er cof am bentref Capel Celyn. Mae'r llyn yn rhan o system reoli dŵr afon Dyfrdwy sy'n rheoli lefel Llyn Tegid a nifer o lynnoedd bychain eraill. Gollyngir y dŵr fel bo'r angen i lawr yr afon a'i bwmpio allan mewn gorsaf bwrpasol yn Huntington ger Caer a'i ddosbarthu i Gilgwri (Wirral), Penbedw a Lerpwl. Yn ystod cyfnodau gwlyb, mae'r dŵr sy'n cael ei ryddhau o Lyn Celyn yn cael ei atal er mwyn osgoi llifogydd ar y gwastatir yn is i lawr yr afon. Codwyd wal o greigiau a phridd i'r diben hwn, ac mae'n cynnwys gorsaf ddŵr fechan er mwyn cyflenwi trydan i'r Grid Cenedlaethol. Yn union islaw'r wal mae Canolfan Dŵr Gwyn Genedlaethol Tryweryn lle cynhelir cystadlaethau canŵio a rafftio rhyngwladol.

Llyn Celyn is, without doubt, one of the most important lakes in the history of Snowdonia, even if that history only stretches back half a century or so. The influence of flooding Cwm Celyn, and the village of Capel Celyn, not only left its mark on the landscape of this part of the world but led to a revolution in the political landscape of Wales. The planning process started in the mid 1950s when the projected water needs of Merseyside were analysed and a shortfall predicted. The remote valley at the upper end of the Dee catchment area was identified as a potential regulatory reservoir, with the natural course of the river serving as a conduit to carry water eastwards to a pumping station near Chester.

The planning process was in a fairly advanced stage when the Tryweryn Act of 1959 was proposed, and the villagers of Cwm Celyn discovered that their homes would be drowned under millions of gallons of water if the bureaucrats of Liverpool got their way. The reaction in Wales was of outrage and a strong political backlash ensued, and when the measure came before parliament none of the 36 Welsh MPs voted in favour, but Howard Macmillan's government, nevertheless, carried the day and building subsequently began. When the reservoir opened in 1965 the village of Capel Celyn, complete with school, chapel, homes, farms and cemetery, were flooded for ever. There was a feeling of betrayal and that the Welsh way of life was under threat. The whole episode roused the national psyche and was the beginning of a renaissance in the nationalist movement in Wales, culminating in returning the first Plaid Cymru MP in 1966 and the formation of the Welsh Language Society which has campaigned succesfully over several decades for the future of the language.

Llyn Celyn

Harlech a Thrawsfynydd

9

Llyn yr Oerfel

Stwlan a Llyn Tanygrisiau

Roedd llyn mynydd bychan yn Stwlan ers Oes yr Iâ, ond adeiladwyd wal goncrid i gronni'r dŵr wrth godi gorsaf drydan Ffestiniog rhwng 1957 a 1963 a hon oedd gorsaf storio-bwmpio gyntaf Prydain. Mae'r ddau lyn yn rhan o'r system, ac mae dros fil o droedfeddi o wahaniaeth uchder rhyngddynt. Naddwyd dau dwnnel rhwng y ddau lyn, yn ddwfn yng nghreigiau'r Moelwyn, i adael i'r dŵr lifo i lawr yn ystod oriau brig i droi'r tyrbinau a'i bwmpio'n ôl i fyny pan fo'r galw'n isel. Mae'r peipiau'n 4.4 metr ar draws a byddai'n bosib gyrru car bychan i fyny'r twnelau o Danygrisiau i Stwlan! Mae Eryri yn lleoliad delfrydol ar gyfer gorsafoedd o'r fath gan fod glawiad blynyddol o dros dri metr ar y Moelwyn a dros ddwy filiwn metr sgwâr o ddŵr yn cael ei ddal yn y llyn gan y wal. Gall yr orsaf gynhyrchu 360MW o drydan, sy'n llai effeithiol na gorsaf Dinorwig, oherwydd ei hoed, ond sy'n fwy na digon i gyflenwi anghenion trydan gogledd Cymru am oriau.

Llyn Tanygrisiau ydy ail hanner system gorsaf bŵer Ffestiniog. Codwyd y llyn ar safle corslyd, mawnog ddiwedd y 1950au a dechrau'r 1960au. Roedd pyllau bychain o lynnoedd ar lawr y dyffryn cyn hynny a'r rheini'n llynnoedd diwydiannol. Y newid mwyaf yn lleol wrth godi'r llyn oedd boddi gwely rheilffordd Ffestiniog oedd yn rhedeg ar hyd llawr y dyffryn a thrwy dwnnel hir. Bu'n rhaid newid ei chwrs wrth ailagor a chrëwyd dolen yn y lein yn Nuallt er mwyn codi lefel y rheilffordd ddigon i'w galluogi i ddringo dros wal Llyn Tanygrisiau.

Mae hanes y rheilffordd yn rhyfeddol. Daeth i fodolaeth trwy gyfuniad o lwc (penderfyniad W A Maddocks i godi wal ar draws y môr rhwng Porthmadog a Minffordd er mwyn adennill tir cyn bod Porthmadog, Minffordd, nac yn wir Blaenau Ffestiniog, yn bodoli) a darganfod llechi gwerthfawr ar raddfa fasnachol yn Nyffryn Ffestiniog. Serch hynny, roedd yn rhaid i'r peirianwyr cynnar ddangos cryn ddyfeisgarwch. Cyn dyfodiad y rheilffordd byddai'r llechi'n cael eu cludo o'r mynydd â cheffyl a throl i lawr at lannau afon Dwyryd, ac yna ar gychod bychain i'r môr cyn eu llwytho ar longau i'w cludo i weddill Cymru a thu hwnt.

Yn wreiddiol byddai'r ceffylau'n tynnu'r wagenni gwag o Borthmadog i Ffestiniog, yna, tra byddai'r llechi'n cael eu llwytho fe'u rhoddid mewn wagenni pwrpasol i gael bwyd, diod a seibiant ar gyfer eu siwrnai (trwy rym disgyrchiant) yn ôl i Borthmadog. Yn ddiweddarach, trenau stêm oedd yn gwneud y gwaith bôn braich, ac roedd gweithdy Boston Lodge ger y Cob ym Mhorthmadog (a enwyd ar ôl etholaeth Maddocks yn Boston, Swydd Gaerhirfryn) ar flaen y gad wrth adeiladu trenau stêm. Dyfeisiwyd injan ddeuol, y Fairlie, gyda hanner boiler yn y blaen a hanner yn y cefn, er mwyn gallu troi'r corneli clòs, a dyma gychwyniad cynllun yr injan ddîsl a thrydan fodern a ddefnyddir yn fyd-eang heddiw. Roedd dolen Duallt yn arloesol – yr unig un ym Mhrydain a grëwyd i ennill uchder ar reilffordd. Yn rhyfeddach fyth, fe'i hadeiladwyd yn gyfan gwbl gan wirfoddolwyr.

Trwy wyrth, llwyddwyd i osgoi trychineb enbyd ar ddydd Nadolig 1918. Newydd ddychwelyd o ffosydd Ffrainc oedd y dynion ac roedd pentref cyfan Tanygrisiau, bron, mewn gwasanaeth Nadolig. Tra oedd pawb yn ddiogel yn y capel, disgynnodd rhan o'r wal a oedd yn dal gwaith y chwarel yn ei le, a llithrodd miliynau o dunelli o wastraff llechi dros y tai, ond lladdwyd neb. Petai'r tirlithriad wedi digwydd ar unrhyw adeg arall o'r dydd byddai cannoedd yn sicr wedi cael eu lladd.

Even though a small glacial lake has existed on the Moelwyn for millennia, the construction of the Stwlan dam was undertaken in the late 1950s and early 1960s as the upper lake at the Tanygrisiau hydro-electric plant. Capable of producing 360MW of power when needed the lake is connected to the lower lake at Tanygrisiau by two 4.4m diameter pipes. The electricity produced can power the whole of north Wales for several hours. This was the pattern used to construct the Dinorwig power station at Llanberis decades later.

The lower lake of the hydro-electric power plant, Llyn Tanygrisiau, was constructed on low-lying marshland but the bed of the then abandoned Ffestiniog Railway was drowned by the new lake. The railway itself was pioneering, its construction possible following W A Maddocks's construction of the Cob

Stwlan

Llyn Tanygrisiau

causeway at Porthmadog, and the growth in the demand for roofing slate. The original tramway was horse-drawn, with the laden wagons gravity-driven from Ffestiniog down to Porthmadog and the empty wagons being pulled uphill by the draught horses. Upon reaching the end of the line, the horses would be put into special wagons to be fed, watered and rested on the gravity-fed downhill leg of the journey. The tight corners of the railway line led to the invention of the Fairlie engine, with its twin-based boiler, which is the basis of most diesel and electric engines today. The reopening of the line required construction of a new loop to gain sufficient elevation to rise above Tanygrisiau dam. This is the only loop of its kind in Britain and was constructed solely by volunteers.

Llyn y Garnedd, Llyn y Garnedd Uchaf a Hafod y Llyn, Morfa Mawr

Mae'r ddau Llyn y Garnedd yn llynnoedd bychain, bas sy'n llenwi cornel fawnog o'r Moelwyn. Ychydig yn uwch i fyny'r clogwyn na Llyn Mair, mae'r tirlun yn goediog o hyd. Planhigfa o goed meddal sydd fwyaf amlwg yn y tirlun ac mae'r lleiaf o'r ddau lyn – y llyn uchaf – wedi ei amgylchynu â choed.

Mae un o ffyrdd bychain harddaf Cymru yn nadreddu ei ffordd dros ysgwydd y Moelwyn gerllaw ac i unrhyw un sy'n fodlon mentro ar ei hyd, a thrwy sawl gât, mae'r daith o Faentwrog i Groesor yn werth ei dilyn. Mae'r ffordd yn dyddio'n ôl i'r Oes Rufeinig ac yn rhan o'r ddolen rhwng Tomen y Mur yn Nhrawsfynydd a Segontium yng Nghaernarfon; dilyna lwybr trwy Faentwrog i Groesor ac ymlaen i Feddgelert, yna ar hyd afon Colwyn i fyny am Rhyd Ddu, heibio i Lyn Cwellyn, ac i lawr i Gaernarfon. Roedd y llwybr yn boblogaidd gyda phorthmyn yn yr oesoedd a fu.

Ychydig lathenni o'r llynnoedd mae bwthyn bychan dinod (er bod ganddo ei blatfform rheilffordd ei hun!) o'r enw Coed y Bleiddiau. Bu'r bwthyn yn gartref ar wahanol adegau i griw rhyfeddol. Bu tad John Philby'n byw yno (Philby oedd yr ysbïwr enwog a ffodd i Foscow yn anterth y Rhyfel Oer) a hefyd Syr Granville Bantock, y cyfansoddwr ac arweinydd cerddorfeydd. Ond, heb os, y preswyliwr enwocaf oedd William Joyce, yr enwog Lord Haw-Haw a ddaeth i anfri yn ystod yr Ail Ryfel Byd. Er iddo gael ei eni yn America astudiodd Joyce yn Llundain a chafodd ei dderbyn yn ddinesydd Prydeinig yn ddiweddarach. Daeth yn aelod blaenllaw o Blaid Ffasgaidd Oswald Mosley a bu am gyfnod yn aelod o'r Blaid Geidwadol. Ceisiodd ddilyn ei arwr Adolf Hitler gan sefydlu'r Gynghrair Sosialaidd Genedlaethol, ond dihangodd i'r Almaen yn ystod y rhyfel, ac yno y daeth i enwogrwydd. Roedd ei ddarllediadau o'r Almaen yn targedu propaganda Natsïaidd a gwrth-Semitig tua glannau Prydain a chanddynt gynulleidfa o tua chwe miliwn, er bod y mwyafrif yn ei ddilorni. Byddai'n cyfeirio o bryd i'w gilydd at Goed y Bleiddiaid ac ardal Ffestiniog, ac

ambell waith at bobol benodol yn yr ardal! Yn ystod un darllediad anfonodd gyfarchion at y brodyr Johnson yn Nyffryn Ffestiniog a'u hannog i beidio ag ymladd yn erbyn grym Adolf Hitler. Fe'i cafwyd yn euog o deyrnfradwriaeth a chrogwyd ef yn Ionawr 1946.

Yn cuddio yn y coed uwchlaw aber afon Glaslyn ychydig i'r gorllewin o Lynnoedd y Garnedd mae Hafod y Llyn. Islaw, mae'r afon yn agor i'r gwastatir sy'n arwain yr holl ffordd i'r Cob ym Mhorthmadog. Hyd at gwblhau'r cob enwog, sy'n uno tref Porthmadog a Meirionnydd, rhan o'r môr oedd y tir a welir heddiw wrth edrych tua'r Cnicht a'r Wyddfa wrth groesi tua Minffordd. Wedi agor y Cob gan William Maddocks yn 1811

Llyn y Garnedd

dechreuodd y ddaear sychu, a chafodd ardal eang yn ymestyn o Benmorfa i Lanfrothen ei hadennill i greu tir amaethyddol. Mae rhai olion o'r traddodiad morwrol i'w gweld o hyd mewn enwau lleol ac angorfeydd i'w gweld mewn gerddi ym Mhenmorfa. Nid nepell o'r llyn mae ffermydd Ynys Fach, Ynysfor, Morfa Glas ac Ynys Fawr. Mae ogof o'r enw Ogof Smyglars i'w chanfod gerllaw a oedd yn boblogaidd iawn yn y diwydiant mewnforio ers talwm! Roedd y rhan hon o'r arfordir yn ganolfan bwysig i adeiladwyr llongau. Llwyddwyd i adennill tua 1,500 o erwau o dir i gyd, er i lawer o'r tiroedd newydd gael eu boddi flwyddyn ar ôl cwblhau'r Cob wedi i storm enfawr ddifrodi'r wal, gan ei chwalu'n gyfan gwbl mewn mannau. Llwyddwyd i gwblhau'r gwaith trwsio erbyn 1814.

Mae ysbryd enwog i'w weld yn ardal Pont Aberglaslyn, ychydig i'r gogledd, sef ysbryd ar ffurf tarw. Fe'i gwelir o bryd i'w gilydd cyn belled â phentref Beddgelert.

Cawn hanes Madog ab Owain Gwynedd ym mhennod 4 ond yma, ym mhen ucha'r Morfa Mawr, yr adeiladwyd ei longau ac y cychwynnodd ar ei daith yn ei 'dair ar ddeg o longau bach ar fore teg'. Credir fod Ynys Fadog ger Tremadog wedi ei enwi ar ei ôl, er bod dylanwad Maddocks hefyd yn drwm ar enwau lleoedd yr ardal.

Llyn y Garnedd and Llyn y Garnedd Uchaf are two small lakes which flood a corner of the Moelwyn and are tree-bound by a vast softwood plantation. The nearby Roman road that used to be the main road between Tomen y Mur in Trawsfynydd and Segontium, Caernarfon, is one of Wales's prettiest mountain roads (for the intrepid motorist!). Nearby Coed y Bleiddiaid cottage has housed a few notable characters, none more so than William Joyce whose wartime Nazi propaganda broadcasts from Germany to the British Isles earned him the nickname Lord Haw-Haw. Sometimes broadcasting to in excess of 6 million listeners (mostly mocking, it must be said) he often referred to places in the Maentwrog area and also specific local people. He was executed for treason in January 1946.

Now several miles inland, Hafod y Llyn is a shallow lake nestling in the woods above Traeth Mawr, and was once a mere stone's throw from a tidal estuary. The completion of the Cob causeway by William Maddocks in 1811 reclaimed around 1,500 acres from the sea leaving several islands, as well as a smuggler's cove, stranded miles inland. Aberglaslyn bridge is another important crossing constructed apparently with the help of the devil, as seen in chapter 5, and the upper part of the former estuary was the shipyard of Madog ab Owain Gwynedd who set sail for America centuries before Columbus in 13 ships ('on a dark blue sea', according to popular Welsh performer Ryan Davies!) and discovered The New World, never to return.

Hafod y Llyn, Morfa Mawr

Llyn Mair a Hafod y Llyn, Maentwrog

Mae Llyn Mair yn gronfa ddŵr eithaf anarferol. Fe'i crëwyd gan William Edward Oakeley o Blas Tan-y-bwlch fel anrheg i'w ferch, Mair, ar ei phen-blwydd yn un ar hugain oed. Ef oedd perchennog Chwarel Oakeley ym Mlaenau Ffestiniog ac roedd yn dirfeddiannwr lleol pwysig. Brodor o Swydd Gaerlŷr ydoedd ac etifeddodd y chwarel wedi i'w fodryb, gweddw brawd ei dad, farw heb blant. Tua dechrau'r ugeinfed ganrif codwyd wal i gronni'r dŵr i greu un o lynnoedd harddaf Eryri. Mae llawer yn ymweld â'r llyn bob blwyddyn, ac mae ei leoliad ar y ffordd gefn o Faentwrog trwy'r Rhyd i Lanfrothen yn ychwanegu at ei boblogrwydd.

Mae'r gronfa'n cyflenwi dŵr i Blas Tan-y-bwlch islaw, plas a gafodd ei ddatblygu'n helaeth gan y teulu Oakeley ar ddiwedd y bedwaredd ganrif ar bymtheg. Cwblhawyd y gwaith yn 1872 (ar safle a oedd yn bodoli ers y 1600au) ac mae ei leoliad uwchlaw'r dyffryn yn difyrru'r miloedd sy'n ymweld â'r plas bob blwyddyn i ddilyn cyrsiau ac ati.

Fel y gwelir yn nes ymlaen wrth ymweld â Llyn Tecwyn Uchaf, roedd y sant a roddodd ei enw i Eglwys Maentwrog gerllaw – Sant Twrog – yn un o linach balch o seintiau lleol a oedd yn feibion i Ithel Hael o Lydaw, ond mae hanes arall yn perthyn i'r maen sy'n rhoi ei enw i Faentwrog. Yn ôl y sôn roedd cawr o'r enw Twrog yn byw yn y bryniau uwchben y pentref. Mewn dicter dechreuodd ymosod ar y Paganiaid oedd yn addoli islaw, gan daflu maen a dorrodd allor yr addolwyr yn ei hanner. Mae'r maen hwn, medden nhw, yn rhan o Eglwys Maentwrog heddiw. Yn ôl y Mabinogi, ychydig islaw'r llyn y lladdwyd Pryderi gan Gwydion. Roedd Gwydion wedi twyllo Pryderi a dwyn ei foch i gyd, gan arwain at ryfel hir rhwng y ddau a ddaeth i ddiwedd gwaedlyd yma. Mae corff Pryderi wedi ei gladdu o dan y maen, yn ôl traddodiad.

Mae Rheilffordd Ffestiniog yn gwahanu Hafod y Llyn a Llyn Mair drws nesaf yng Nghoed Llyn y Garnedd uwchlaw Maentwrog. Yng ngwyll y coed sy'n amgylchynu'r llyn does dim i'w glywed nes i wich corn y trên yn diasbedain i fyny'r dyffryn ddeffro'r adar o'u trwmgwsg.

Heb fod ymhell mae Eglwys Sant Brothen, Llanfrothen, un o eglwysi mwyaf hynafol yr ardal a chanddi ffenest sy'n dyddio'n ôl i'r drydedd ganrif ar ddeg. Ym mynwent Eglwys Llanfrothen mae bedd yr anffodus Mary Jones a lofruddiwyd gan yr enwog Hwntw Mawr. Fe oedd yr olaf i'w grogi'n gyhoeddus yn Sir Feirionnydd am y weithred. Credir mai gogleddwr oedd Thomas Edwards mewn gwirionedd ac iddo gael y llysenw oherwydd iddo dreulio amser yn gweithio yn y de. Daeth yn ôl i ogledd Cymru pan oedd galw am ddynion i drwsio'r Cob ym Mhorthmadog yn dilyn difrod storm (gweler Hafod y Llyn, Morfa Mawr). Brodor o Sir Fôn ydoedd, yn gawr o ddyn ac yn gymeriad gwyllt. Daeth i wybod bod swm go fawr o arian yn cael ei gadw mewn cwpwrdd yn fferm Penrhyn Isaf heb fod ymhell o Bortmeirion, a bu'n aros ei gyfle tan fod y tŷ yn wag. Pan oedd pawb allan wrth y cynhaeaf, gwelodd ei gyfle i fynd i'r ffermdy a cheisio agor y cwpwrdd, ond cafodd ei ddal yn y weithred

Llyn Mair

Hafod y Llyn, Maentwrog

gan forwyn ifanc ddeunaw oed. Llofruddiwyd Mary Jones yn y fan a'r lle â gwellau cneifio. Ceisiodd Edwards ffoi, ond buan iawn roedd criw ar ei ôl a daeth yr helfa i ben ar lannau afon Dwyryd gydag ymrafael fawr. Wrth groesi'r afon boddwyd ewyrth Mari,

ond daliwyd y llofrudd. Cafodd ei dywys i Ddolgellau gan chwe chwnstabl, ond fe ddihangodd. Bu ar ffo am rai dyddiau nes i John Jones, perchennog fferm Ynysfor, ei ddal. Fe'i cafwyd yn euog yn yr achos llys yn Sesiwn Fawr y Bala ac fe'i crogwyd yn Nolgellau ar yr 17eg o Ebrill 1813.

Llyn Mair, like everything in the area it seems, is the legacy of the Oakeley family who made their fortunes from quarrying slate in Ffestiniog. Llyn Mair was created as a 21st birthday present for William Oakeley's daughter, Mair. The family owned Plas Tan-y-bwlch nearby, and their estate architecture is very apparent in the area. The explanation for the founding of the church of Maentwrog takes in several legends. The first concerns Saint Twrog, part of a 6th century dynasty of saints, originally from Brittany, that founded several churches locally (see Llyn Tecwyn Uchaf later on in this chapter). Another tale concerns a giant called Twrog who hurled a rock from the mountainside to the valley below to crush a pagan altar. The church was built on the site. In the Mabinogi, nearby is the site where Gwydion killed Pryderi after a duel, the battle ending a long feud involving several battles between their armies.

The sharp toot of the Ffestiniog Railway is all that breaks the silence of the woodland that surrounds these two lakes, but back in 1813 the peace was broken by the infamous Hwntw Mawr (The Giant South Walian!). Despite being a 'Gog' (a North Walian), he moved from south Wales to work on the repair of the Cob following its breach by storm. He befriended several locals and discovered that a considerable sum of money was kept at Penrhyn Isaf farmhouse nearby. When he thought all were out in the harvest, he entered the farmhouse and raided the dresser. He was, however, caught red-handed by the eighteen-year-old maid, Mary Jones, and she was murdered on the spot with a pair of shears. The chase caught up with the Hwntw (real name, Thomas Edwards) on the banks of the Dwyryd, where Mary's uncle perished. The murderer was caught, but escaped whilst being escorted to jail in Dolgellau and lived a fugitive for some time before being captured by farmer John Jones. His hanging on April 17th 1813 was the last public hanging in Meirionnydd.

Llyn Trawsfynydd

Dyma lyn a luniwyd yn gyfan gwbl gan ddyn. Fe'i hymestynnwyd yn helaeth ac mae bellach yn olygfa gyfarwydd i deithwyr o'r de i'r gogledd ar yr A470. Bu'r ardal ar groesffordd o lwybrau teithiol ar hyd yr oesoedd a heddiw mae'n gyffordd bwysig i deithwyr o'r gogledd, y de a'r dwyrain. Yn y gorffennol roedd yn llwybr teithwyr i'r Rhufeiniaid ac ar lwybr pwysig yn yr Oes Efydd a oedd yn cysylltu Iwerddon â phellafoedd Wiltshire yn Lloegr (Wiltshire oedd prif ganolfan Prydain ar y pryd). Mae'n lleoliad dramatig, ar wastatir ynghanol clystyrau o fynyddoedd o bwys a chyda'r atomfa yn tra-arglwyddiaethu dros y tirlun, mae naws arallfydol yn perthyn i'r llyn. Denodd sylw cyfarwyddwyr ffilmiau Hollywood dros y blynyddoedd, o *Hedd Wyn* yn y 1980au i *Prince Valiant* yn y 1990au.

Crëwyd y gronfa ddŵr rhwng 1924 a 1928 i gyflenwi dŵr i orsaf bŵer trydan dŵr Maentwrog islaw. Rhaid oedd boddi dros ugain o ffermydd i greu'r llyn ac ni fu fawr o wrthwynebiad, er bod nifer o'r ffermydd o bwysigrwydd hanesyddol. Er cyn lleied y gwrthwynebiad rhaid oedd, serch hynny, goresgyn problemau mynediad. Codwyd milltiroedd o ffyrdd newydd a phont ar droed ar draws rhan o'r llyn sy'n dal yno heddiw. Cronnwyd y dŵr gan bedair argae a'r wal ogleddol oedd yr argae fwa fwyaf ym Mhrydain ar y pryd.

Yn y 1950au codwyd gorsaf niwclear ar y safle ac roedd y llyn yn rhan annatod o'r orsaf. Dyma'r orsaf atomig gyntaf ym Mhrydain i ddefnyddio dŵr llyn yn hytrach na dŵr môr i oeri'r adweithyddion. Rhaid oedd cynllunio llwybr cerrynt dŵr y llyn yn ofalus rhag i rannau o'r llyn or-boethi ac roedd y dŵr yn cymryd tua wyth niwrnod i gylchdroi cyn cael ei ailddefnyddio. Codwyd y llyn yn y lle cyntaf er mwyn cyflenwi gorsaf Maentwrog, ond rhoddwyd y flaenoriaeth, o ran defnydd dŵr, i'r orsaf niwclear wedi iddi agor. Dim ond hawl i ddefnyddio pum troedfedd uchaf y llyn oedd gan orsaf Maentwrog. Y fantais o gael dwy orsaf yn cydweithio oedd fod y trydan cyson o'r orsaf niwclear yn cyflenwi'r orsaf bwmpio yn ystod cyfnodau tawel i godi'r dŵr yn ôl i'r llyn uchaf yn barod ar gyfer y cyfnodau brig. Oes gynhyrchu'r orsaf oedd 1965 hyd 1991 ac roedd yn cynhyrchu 470MW o drydan. Erbyn hyn dechreuwyd y broses anhygoel o hirwyntog a chymhleth o ddadgomisiynu'r orsaf.

Un o feibion enwocaf Trawsfynydd oedd John Roberts ac fe'i canoneiddiwyd fel sant yn ddiweddarach. Roedd yn fab i John ac Anna Roberts, Trawsfynydd, ac aeth i astudio yng Ngholeg St John's yn Rhydychen, cyn gadael am Ffrainc a Sbaen lle yr hyfforddodd i fod yn fynach. Ei ddymuniad oedd dychwelyd i Loegr i weithio gyda'r anghenus yn ninas Llundain, ond oherwydd ei Babyddiaeth câi ei estraddoli bob tro y dychwelai. Yn y cyfamser sefydlodd fynachdy Benedictaidd St Gregory yn Douai, Ffrainc, mynachdy sy'n dal i fodoli. Wedi iddo ddychwelyd i Loegr unwaith eto yn 1607 cafodd ei arestio a byddai wedi cael ei ddienyddio ond am achubiaeth gan lysgennad Ffrainc yn Llundain. Roedd yn benderfynol o helpu o hyd a dychwelodd adref eto yn 1610, gan wybod beth fyddai ei ffawd petai'n cael ei ddal. Dyna a ddigwyddodd wrth iddo gynnal gwasanaeth ar yr 2il o Ragfyr 1610 a chafodd ei grogi, ei chwarteru a'i dorri'n ddarnau yn Tyburn, Llundain, ar y 10fed o Ragfyr 1610. Mae dau o'i fysedd wedi eu cadw fel creiriau yn abatai Dounside ac Erdington. Ar y 25ain o Hydref 1970 cafodd ei ganoneiddio yn Sant John Roberts gan y Pab Paul VI.

Mab enwog arall o'r ardal a ddioddefodd farwolaeth annhymig dramor oedd Hedd Wyn, neu Ellis Humphrey Evans. Ganed ef ganol Ionawr 1887 yn fab fferm ddigon cyffredin. Doedd o ddim yn un o feirdd gorau ei gyfnod, ond yn ddigon o saer geiriau i gynnig am gadair Eisteddfod Genedlaethol Penbedw yn 1917. Ymgeisiodd gydag awdl i'r 'Arwr' tra oedd yn ymladd yn ffosydd Ffrainc. Ond erbyn cael ei ddyfarnu'n deilwng o'r wobr gyntaf dan ei ffugenw Hedd Wyn roedd wedi cael ei ladd yn Pilckem Ridge ar y 31ain o Orffennaf 1917 yn ystod brwydr erchyll Passchendaele. Ar ôl cyhoeddi'r canlyniad ar lwyfan yr Eisteddfod gorchuddiwyd y gadair â lliain ddu er cof am y bardd buddugol. Yn 1992 gwnaed ffilm am hanes Hedd Wyn ar gyfer S4C a chafodd ei henwebu am Oscar yng nghategori'r ffilm dramor orau.

Originally a man-made lake, created for the Maentwrog hydro-electric power station below, Llyn Trawsfynydd was extended to supply cooling water for the nuclear power plant in the early 1960s.

Llyn Trawsfynydd

It supplied 460MW of power to the National Grid until 1991, before being decommissioned. A Trawsfynydd son, John Roberts, became a prominent figure in the Catholic Church, and a thorn in the English Protestants' side in the early seventeenth century. Having established a monastery in France, which still survives, he became preoccupied with working with the poor in London. He was, however, banned from entering the country, but his determination brought him back to London three times. The first two visits ended in extradition, but the third ended in his death by being hung, drawn and quartered. In 1970 he was canonised as Saint John Roberts of Trawsfynydd. Another famous son of the village, poet Hedd Wyn (Ellis Evans) won the highest acclaim in the National Eisteddfod in 1917, but was sadly killed in combat in the battle of Passchendaele before the chairing ceremony in Birkenhead. A black cloth was laid over the chair in his memory. The film of his story was nominated for an Oscar for best foreign-language film.

Llyn Llennyrch, Llyn Tecwyn Isaf a Llyn Tecwyn Uchaf

O'i gymharu â'i gymydog mawr Llyn Trawsfynydd, digon di-nod ydy Llyn Llennyrch sy'n gorwedd ger coedwig Cae'n y Coed uwchlaw Ceunant Llennyrch. Mae'r ceunant a'r ardal o amgylch yn safle o ddiddordeb gwyddonol arbennig oherwydd y casgliad o Broffyta'r Iwerydd prin sy'n tyfu yno'n naturiol.

Mae fferm Llennyrch yn enwog fel eiddo cawr o ddyn o'r enw William Evans a oedd yn byw ddechrau'r bedwaredd ganrif ar bymtheg; roedd ymhell dros ei ddwylath ac yn berchennog nifer o ffermydd. Un noson, wedi iddo grwydro o gwmpas ei ystad a thorri syched yn y dafarn, fe ymosodwyd arno gan griw o ddynion. Fe'i llusgwyd dros y clogwyn, gan ddwyn ei arian i gyd a'i ladd. Mae llawer yn honni clywed sŵn a gweld rhith y llofruddiaeth yn y coed o dro i dro ac, yn ôl y sôn, mae ôl ei sodlau i'w gweld yn y ddaear uwchlaw'r clogwyn lle nad oes gwair byth yn tyfu. Ni ddaeth neb i gyfraith erioed am y llofruddiaeth.

Ceunant Llennyrch a Llyn Llennyrch, wrth gwrs, yw'r cysylltiad daearyddol rhwng Llyn Trawsfynydd a dyffryn Maentwrog. Codwyd pibell i gysylltu'r llyn uwchlaw â'r orsaf bŵer yn y dyffryn islaw wrth godi'r orsaf rhwng 1925 a 1928. Mae'n anodd credu bod yr orsaf fechan ar y pryd yn cynhyrchu mwy o drydan na holl alw gogledd Cymru. Roedd yn cynhyrchu 18MW ar y dechrau a gynyddodd i 24MW yn 1934 ac ymhellach i 30MW yn 1991. Bellach mae'r graith a oedd yn amlwg ar y clogwyn uwchlaw pentref Maentwrog, lle roedd y pibellau, wedi ei gorchuddio'n gyfan gwbl â choed.

Gyda'r trwyn main o dir coediog yn ymestyn i'r llyn, mae Llyn Tecwyn Isaf yn un o'r harddaf yn Eryri, yn enwedig pan fo niwl ysgafn yn gorwedd ar wyneb y dŵr. Mae'r lleoliad yn hynod boblogaidd yn yr haf, gan ei fod yn agos at dref Harlech a phentrefi Llandecwyn, Talsarnau a Phenrhyndeudraeth. I groesi afon Dwyryd o gyfeiriad Penrhyndeudraeth rhaid croesi pont Briwet, un o bontydd arfordirol mwyaf diddorol Cymru. Pont goed ydy hon a godwyd yn 1860 ac sydd ar hyn o bryd yn cario ceir a rheilffordd y Cambria o Bwllheli i Aberystwyth a thu hwnt. Ond mae cynlluniau i wario £20 miliwn o bunnoedd ar godi pont newydd i groesi'r aber, gan fod y bont goed yn gwanhau. Bydd yr hen bont yn cael ei chadw i gerddwyr, gan ei bod yn strwythur cofrestredig. Bydd modurwyr yn falch o arbed y doll o 25c a oedd yn rhaid ei thalu i berchnogion yr hen bont!

Roedd gwaith powdwr Cookes gerllaw'n un o brif gyflogwyr yr ardal, yn cynhyrchu powdwr tanio i'r diwydiant mwyngloddio o 1872 hyd at 1997. Daeth y galw am bowdwr tanio i fri yn ystod y Rhyfel Byd Cyntaf a'r twf mewn defnydd o ffrwydron yn y pyllau glo. Collodd nifer o weithwyr eu bywydau dros y blynyddoedd, oherwydd natur y diwydiant, ac edwinodd y galw yn ystod ail hanner yr ugeinfed ganrif. Bu streic y glowyr yn ergyd drom a disgynnodd y galw dros nos. Bu cau'r holl byllau yn ystod prifweinidogaeth Margaret Thatcher yn angheuol i'r gwaith. Bellach mae'r safle'n warchodfa natur fel nifer o'r gweithfeydd glo a fu unwaith mewn bri ar hyd a lled Cymru.

Ychydig i'r gogledd o Lyn Tecwyn Isaf mae'r Llyn Uchaf. Mae'n safle creigiog, ond yn cynnig golygfeydd godidog o'r arfordir a mynyddoedd y Rhiniogydd sy'n codi o lannau'r llyn. Oherwydd

Llyn Llennyrch

ei safle delfrydol heb fod ymhell o bentref Penrhyndeudraeth mae'r llyn wedi bod yn gronfa ers blynyddoedd. Codwyd y wal wreiddiol yn 1896, ac yna wal newydd, uwch, yn y 1920au. Bellach mae'r llyn yn cyflenwi dŵr i Borthmadog a Maentwrog yn ogystal â Phenrhyndeudraeth. Mae effaith dyn yn amlwg ar y llyn, er gwaetha'r golygfeydd godidog, gan fod peilon enfawr yn sefyll ger y llyn a'i wifrau'n crogi'n isel dros wyneb y dŵr.

Heb fod ymhell o'r llyn, mae hen Eglwys Llandecwyn yn un o leoliadau harddaf gogledd Cymru, gyda golygfeydd dros Morfa Harlech, Porthmadog, Portmeirion a draw dros Benrhyn Llŷn. Mae hanes hir i'r eglwys, gan fod Sant Tecwyn (nawddsant yr eglwys) yn sant o'r chweched ganrif, yn fab i Ithel Hael (a ddaeth i Gymru o Lydaw i ddianc rhag ymosodiad y Ffrancwyr gyda llwyth Emyr Llydaw) ac yn frawd i nifer o nawddsaint lleol (Fflewyn, Tegai, Trillo, Twrog, Llechid a Baglan) ac yn dad i nifer eraill (Tanwg a Gredifael). Yn amlwg, roeddynt yn deulu o arloeswyr crefyddol yng ngogledd-orllewin Cymru ac mae'r rhan helaethaf o blwyfi'r ardal yn dal i ddwyn eu henwau. Naddwyd cofnod o'u bodolaeth i gerrig ers Oes y Celtiaid a chanfuwyd carreg o'r fath yn Eglwys Llandecwyn wrth ei hailadeiladu ddiwedd y bedwaredd ganrif ar bymtheg.

Mae hanes gwrach a fu'n byw ar lannau'r llyn yn rhan o chwedloniaeth leol. Roedd gwreigan o'r enw Dorti'n byw tua 1760 mewn bwthyn ar ochr Moel Decwyn uwchlaw'r llyn. Roedd hi, heb os, yn arbenigwraig ar drafod perlysiau a phlanhigion eraill i wella a iacháu pobol yr ardal. Ond mae'n debyg iddi ddisgyn yn brae i ragfarn pobol yr oes am wrachod ac wedi iddi gael ei gweld ger cae o wartheg yn fuan cyn iddynt farw dechreuodd yr helfa go iawn. Mae'n debyg fod doniau Dorti i iacháu yn ddiamheuol, ond roedd y farn gyhoeddus wedi troi yn ei herbyn. Cafodd ei dal gan griw o ddynion o Benrhyndeudraeth a'i rhoi mewn casgen gyda nifer o hoelion wedi eu morthwylio i mewn iddi. Cludwyd y gasgen i ben Moel Decwyn a'i rhowlio i lawr at y llyn. Chwalodd y gasgen, ond canfuwyd corff yr hen wreigan ar y llwybr ger y llyn ac fe'i claddwyd yn y fan a'r lle. Codwyd carreg wen yn gofeb iddi ac mae'n draddodiad gosod carreg wen fechan arni wrth basio glannau'r llyn er mwyn sicrhau lwc dda. Os bydd unrhyw un yn ymyrryd â'r bedd dywedir y bydd Dorti'n codi o'r pridd a llusgo'r euog gyda hi i'r dyfnderoedd.

Compared with its big brother at Trawsfynydd, Llyn Llennyrch is a small natural lake, but nonetheless keeps many tales and secrets. Below the lake, the Llennyrch gorge is home to rare Atlantic Bryopheta. There, one night, local landowner William Evans was returning home having quenched his thirst at the local tavern after an evening collecting rent from his tenants when he was set upon by a group of men, dragged over the cliff and killed. The victim can sometimes be seen as a ghostly re-enactment on dark nights, and the imprints of William Evans's heels can still be seen leading towards the cliff edge, where the grass will never grow again. Down this gorge runs the pipeline that connects Llyn Trawsfynydd with Maentwrog Power Station. The hydro-electric plant now provides 30MW of power to the National Grid.

Llyn Tecwyn Isaf is one of the prettiest lakes in Snowdonia, with a thin spit of land sporting a line of trees protruding into its lily-padded waters, and is always popular with picnickers. The area at Pont Briwat nearby is equally beautiful, although the wooden railway bridge will soon be replaced with a modern version. The Cookes explosives plant has now been razed to the ground, a victim

Llyn Tecwyn Uchaf

this lake. Forgotten in time, though, stands Llandecwyn Church nearby, built on the site since the 6th century it overlooks the Dwyryd estuary and is one of the best located churches in Wales. Folklore provides the tale of Dorti the witch who lived by the lake. Despite being famous for healing with potions she was victimised by the eighteenth century obsession with witches and blamed for the death of a herd of cattle. Her grizzly death came about when she was put in a barrel lined with nails which was rolled down Moel Decwyn. She was buried on the spot and it is now good luck to adorn the cairn on her grave with a white stone as you pass.

Llyn Eiddew Mawr a Llyn Eiddew Bach

Mae tirlun unigryw ardal y Rhiniogydd a Moel Ysgyfarnog yn frith o lynnoedd. Llyn Eiddew Mawr ydy un ohonynt ac mae'r llynnoedd bychain eraill yn nodweddiadol iawn o'r ardal. Mae'n rhyfeddol bod gan bob clwstwr o fynyddoedd yn Eryri ei dirlun nodweddiadol ei hun ac, felly, mae'r llynnoedd yn magu eu cymeriadau eu hunain bron â bod. Gellir adnabod tirlun y Carneddau yn syth, mor wahanol ydyw i dirlun y Glyderau sy'n union gerllaw. Mae'r Moelwyn a'r Migneint yn hollol wahanol ond o fewn tafliad carreg i'w gilydd, ac mae'r Rhiniogydd 'run mor llesmeiriol â'r lleill o ran ei greigiau a'i lynnoedd.

Cafodd Llyn Eiddew Mawr ei ymestyn ychydig yn y 1960au er mwyn cronni dŵr i gyflenwi ardal Talsarnau islaw. Bellach, pysgotwyr yw'r unig rai sy'n defnyddio'r llyn. Mae'n werth cofio y bu'r llecyn anghysbell hwn yn llawer mwy poblog ar un adeg. Mae'r hen ffordd Rufeinig yn arwain o Domen y Mur heibio i'r llyn tua'r gorllewin ac roedd prysurdeb y 'briffordd' hon yn creu bwrlwm yn y corsydd a'r creigiau. Bron y gellir dilyn y canrifoedd trwy olion y corlannau, y carneddau a'r siamberi claddu. I gynorthwyo'r hanesydd, mae clytwaith o hanes mewn llên gwerin ac enwau nodweddion yn y tirlun. Yn union i'r gogledd o'r llyn, i gyfeiriad Llyn Caerwych, mae Cors y Ddwyfil lle bu brwydr waedlyd rhwng y Rhufeiniaid a'r llwythau brodorol. Claddwyd dwy fil o feirwon yn

of the downturn in the market for charges that happened with the wholesale closure of coalmines in the 1980s and 90s.

Sitting above the villages of Talsarnau, Llandecwyn and Penrhyndeudraeth, its prime location explains its existence as a reservoir since the end of the 19th century and it still provides water to a wide area. With its dam and electricity pylon and cable hanging low, the needs of the 20th century have taken its toll on

Llyn Eiddew Mawr

Llyn Caerwych a Llyn y Fedw

I'r archaeolegwr, mae ardal Llyn Caerwych yn nefoedd ar y ddaear, gan fod cynifer o olion o'r cyfnod cyn-hanesyddol i'w gweld yn lleol. Mae'r carnedd ger y llyn, mae'n debyg, yn weddill beddrod o'r cyfnod neolithig hwyr neu ddechrau'r Oes Efydd. Hefyd gerllaw mae Bryn Cader Faner, safle carnedd gron sy'n dyddio'n ôl bedair mil o flynyddoedd er i'r cylch cerrig gael ei ddifrodi yn ystod y bedwaredd ganrif ar bymtheg gan rai a fu'n chwilio am drysorau. Yn ôl y gwybodusion, dyma'r cylch cerrig mwyaf cyflawn o'r cyfnod ym Mhrydain. Mae'r pymtheg nodwydd o gerrig yn ymestyn allan o'r garnedd ac yn edrych fel coron ddrain o'r Oes Efydd. Er mor ddiarffordd ydyw heddiw, dyma un o ffyrdd pwysicaf yr Oes Efydd i gyfnewid nwyddau ag Iwerddon. Roedd y ffordd yn arwain dros y Rhiniogydd draw i Drawsfynydd ac ymlaen drwy'r hen Sir Drefaldwyn i Wessex yn ne-ddwyrain Lloegr, prif ganolfan ynysoedd Prydain ar y pryd. Byddai'r cylch cerrig hyd yn oed yn harddach pe bai'r fyddin heb ei ddefnyddio fel targed i ymarfer bomio yn ystod yr Ail Ryfel Byd!

Yn ôl rhai, mae chwedl lleol arall yn ymwneud â charreg. Cafodd Maen Ôl Troed yr Ych ei daflu mewn gwylltineb gan gawr o Lyn Caerwych i lawr tua phentref Llandecwyn, ac mae ôl troed nifer o anifeiliaid yn dal i'w gweld yn y garreg.

Mae Llyn y Fedw yn gorwedd uwchlaw pentref Talsarnau ar arfordir gorllewinol Meirionnydd. Mae cylch cerrig ar gopa Moel Goedog gerllaw yn dyddio'n ôl i ddechrau'r Oes Efydd neu ddiwedd Oes y Cerrig. Mae olion esgyrn a lludw yn dyddio o 1700 cc i 1400 cc. Cafodd y safle ei gloddio yn y 1970au, ond rhoddwyd cerrig newydd yn lle'r rhai a aeth i ddifancoll dros y canrifoedd.

Dafliad carreg o Lyn y Fedw mae Lasynys, casgliad o ffermdai arfordirol. Cysylltir yr ardal â nifer o gymeriadau gan gynnwys Mari Ifan neu Mari'r Fantell Wen. Brodor o Sir Fôn oedd Mari, ond symudodd i ardal Talsarnau yn 1774. Roedd eisoes wedi ymwahanu oddi wrth ei gŵr cyntaf ac wedi cartrefu gyda gŵr gwraig arall. Cafodd ei henwi ar ôl y garthen wen a wisgai dros ei hysgwyddau bob amser, ond roedd ei moesau ymhell o fod yn glaerwyn, meddai rhai! Honnodd mai perthynas gnawdol oedd ganddi â'i gŵr cyntaf

y gors, yn ôl y sôn. O gyfnod y Rhufeiniaid hefyd y daw'r enw Craig y Lladron, ychydig i'r gorllewin o'r llyn ar yr hen ffordd Rufeinig. Mae'n debyg fod criwiau o ladron yn cuddio yn y creigiau ac yn ymosod ar yr ymerawdwyr gan ddwyn eu heiddo.

Defnyddiwyd yr hen ffordd yn helaeth yn ystod Oes Fictoria pan fu cloddio am fanganîs yn y clogwyni ar lethrau Moel Ysgyfarnog, fel y gwelwn yn nes ymlaen.

All the main mountain massifs in Snowdonia have their own characteristics, from the boggy moorland of the Migneint to the rocky barren Glyderau. The Rhiniogydd are characterised by two features – rock and bog, especially in the north of the range, and numerous small rocky lakes. Llyn Eiddew Mawr is different, a long, deep lake, sufficiently large to be home to fish big enough for the angler.

The history of this remote, barren landscape can almost be read in the landscape itself. Through the millennia we can trace ancestors and land use by the burial chambers, cairns, sheepfolds, Roman road, manganese routes and place-names. Place-names remind us of the two thousand soldiers buried in the bog at Cors y Dwyfil and, from the same Roman era, the thieves who robbed passing Romans from their hiding places at Craig y Lladron.

Llyn Caerwych

ac mai dyna pam yr ymadawodd ag ef. Ond er bod ei hail berthynas yn fwy ysbrydol, methodd honno hefyd. Serch hyn, roedd gan y ddynes fechan ddilynwyr erbyn hyn, ac fe lwyddodd i'w darbwyllo ei bod ar fin priodi Cyfiawnder ei hun! Cynhaliwyd gwledd briodas iddi hi a Chyfiawnder yn Ffestiniog, gyda gorymdaith fawreddog yn ôl i Dalsarnau gyda chanu a dawnsio i gyfeiliant telyn. Yn ei bri roedd Mari'n pregethu i'w thorfeydd o ben craig yn Borth Las, ac roedd hi a'i chiwed yn erlid addolwyr mwy confensiynol yn eglwysi a chapeli'r ardal gan hawlio bod Mari yn adnabod Iesu Grist yn iawn. Er i Mari ddarbwyllo ei dilynwyr ei bod yn gwybod cyfrinach bywyd tragwyddol, bu farw ym 1789 ond aeth cryn amser heibio cyn iddi gael ei chladdu, gan fod pawb yn credu y byddai'n atgyfodi! Bu i'w dilynwyr arddel ei chredoau am beth amser wedi ei marwolaeth annhymig yn 54 oed.

Lasynys oedd cartref Ellis Wynne, awdur yr enwog *Gweledigaetheu'r Bardd Cwsc*. Mae ei waith yn dal i gael ei astudio dair canrif yn ddiweddarach.

Mae traddodiad morwrol yr ardal yn cael ei amlygu yn hanes fferi Talsarnau a fu'n hwylio'n ôl a mlaen i Borthmadog am ddegawdau. Yn anffodus, mewn gwynt cryf yn Awst 1862, suddodd y cwch a boddwyd wyth o'r deg a oedd arni.

Llyn Caerwych is an archaeologist's dream with its neolithic remains by the lakeside: a ritual tomb marked by a cairn, a circular cairn at Bryn Cader Faner, and a crown of rocks high in the hills which had remained intact since the Bronze Age until nineteenth century treasure hunters left their mark. But, this was nothing compared to the damage incurred on the prehistoric burial ground by Second World War bombing practice! The location seems remote to us today, but in prehistoric times it was part of a highway linking the Trawsfynydd area to the coast.

This area must have been a hive of prehistoric activity – another Bronze Age ring cairn dating from around 1700 BC to 1400 BC can be found on the summit of Moel Goedog. Unfortunately, during an archaeological dig in the 1970s, missing stones were replaced by new stones. One of the great characters of the area was Mari'r Fantell Wen (Mari of the White Cape). Originally from Anglesey, she gained notoriety by leaving her first husband for another man, and then leaving him to proclaim marriage to Jesus Christ. Such was her power of persuasion that she gained quite a following. Her mob even organised a wedding reception for Mari and her holy husband in a hotel in Ffestiniog! Following the feast, a procession marched all the way to Talsarnau, led by a harpist. Her ardent followers even believed her claim to immortality and on her sudden death she was spared burial for some time, for all assumed an imminent resurrection!

Llyn y Dywarchen, Llyn Du a Llyn Corn Ystwc

Llyn y Dywarchen yw'r trydydd yn y drindod o lynnoedd sy'n dwyn yr un enw yn Eryri. Mae hanesion am ynys o dywarchen yn arnofio ar wyneb y dŵr ym mhob llyn ond ai dyma darddiad yr enw? Does 'run ynys o'r fath ar y llynnoedd heddiw a choel gwrach ydynt, meddai rhai. Fodd bynnag, roedd ynysoedd tebyg i hyn i'w gweld o bryd i'w gilydd ar lynnoedd Cymru, fel y gwelsom trwy brawf Edmund Halley yn Nyffryn Nantlle ym mhennod 3. Roedd nifer o lynnoedd yn yr Alban ac arnynt ynysoedd tebyg, gan gynnwys Loch Lomond. Bellach, does 'run llyn ym Mhrydain ag ynys o dywarchen arno, er iddynt fodoli mewn ecosystemau tra gwahanol ar draws y byd. Maent yn fwy cyffredin mewn ardaloedd trofannol fel Llyn Titicaca yn Ne America, a nifer o lynnoedd yn Affrica ac Asia. Mae yna ynysoedd sy'n arnofio yn y moroedd hefyd, a gall llosgfynyddoedd tanforol greu craig *pumice* ysgafn sy'n arnofio ar wyneb y dŵr, ac ambell waith gallant fod yn sawl erw o faint. Mae'r rhai mwyaf yn gallu arnofio am sawl blwyddyn, ac yn cynnal ecosystem o goed palmwydd a gwair, cyn i'r tyllau mân lenwi â dŵr a suddo yn y pen draw. Tybed pam fod ynysoedd tywarchen wedi diflannu o dir Cymru bellach? O leiaf mae'r enwau a'r chwedlau'n gofnod o'u bodolaeth ar un adeg.

Mae nifer o lynnoedd Eryri yn rhannu'r un enwau. Ceir sawl Llyn Glas (ar lethrau'r Wyddfa), tri Llyn y Dywarchen a Hafod y Llyn, dau ohonynt heb fod ymhell oddi wrth ei gilydd. Ceir hefyd sawl Llyn Du a hawdd gweld o ble y daw'r enw hwnnw. Mae'r llynnoedd yn aml yn cuddio yng nghysgod craig, yn nythu ar ochr ogleddol clogwyni. Mae Craig Ddrwg, Moel Ysgyfarnog, yn codi'n serth o lannau'r llyn ac anodd credu heddiw i'r graig anghysbell hon roi gwaith i ddegau o ddynion ganrif yn ôl.

Llyn y Dywarchen.

Rhwng y 1880au a'r 1920au bu i waith manganîs gloddio'r graig. Er nad oedd llawer yn cael eu cyflogi gan y Cambrian Manganese Co, roedd digon ohonynt i ffurfio côr i gystadlu mewn eisteddfodau lleol. Yn ôl y ffigurau swyddogol, ni chyflogid mwy na deuddeg o ddynion erioed – tystiolaeth y gall y Cymry godi côr mewn diffeithwch bron!

Mae'r ardal hon o'r Rhiniogydd yn greigiog dros ben ac mae Llyn Corn Ystwc yn eithaf nodweddiadol o'r math o lynnoedd sy'n gyffredin yn yr ardal. Yn wahanol i'r llynnoedd bychain sy'n nodweddu'r Migneint, mae llynnoedd y Rhiniogydd yn fwy caregog, gan fod y tirlun yn fwy dramatig a'r clogwyni'n fwy serth. Mae'r llynnoedd hyn yn hynod ddiarffordd, ac yn llenwi tirlun diffrwyth y bu cenedlaethau'n crafu byw arno dros y canrifoedd. Does fawr o newid i'r tirlun ers yr Oes Efydd a dechrau'r Oes Haearn pan gliriwyd y rhan fwyaf o goed Cymru oherwydd y cynnydd mewn galw am dir. Dim ond porfa fynydd dymhorol fu'r tir a gan amlaf byddai tyddynwyr hefyd yn berchen ar iseldir mwy ffrwythlon i bori praidd yn y gaeaf. Bywyd caled iawn a gynigiai'r tirlun hwn sy mor nodweddiadol o Eryri.

The trinity of lakes in Snowdonia which share the same name is all down to one phenomenon – the floating sod of an island that adorned these lakes at one time. Although none boast such a feature now, the tales of their existence were probably true. In Scotland, many lakes have laid claim to such islands but, alas, none can be found today. In tropical ecosystems such as Lake Titicaca in South America they can still be seen, as well as in oceans when pumice rock is formed underwater by volcanoes; some can exist for several years before sinking, supporting a range of plant life and trees extending to several acres.

Several lakes in Snowdonia carry the name Llyn Du (Black Lake), which is no surprise as most nestle in the north facing shadows of cliffs. This particular cliff once provided employment for many men in the Cambrian Manganese Mine. Considering the remoteness of the location it is hard to believe

Llyn Corn Ystwc

Llyn Corn Ystwc is typical of the lakes in the Rhiniogydd range of mountains – rocky, small and peaty. The landscape has hardly changed over several millennia, since the deforestation of the British Isles in the Bronze and Iron Ages. Suitable only for the seasonal upland grazing of sheep, the landscape never provided anyone with anything but a very tough existence.

Llyn yr Oerfel, Llyn Gelli-gain a Hiraethlyn

Heb fod ymhell o Lyn yr Oerfel roedd cartref Huw Llwyd. Fe'i ganwyd tua 1568, a tra oedd yn ddyn ifanc bu'n ymladd yn Ffrainc, ond wedi rhai blynyddoedd daeth yn ôl i ardal Trawsfynydd, gan fagu enw da fel gŵr doeth. Trwy nifer o weithredoedd a oedd bron yn croesi i fyd y goruwchnaturiol daeth i gael ei adnabod fel dewin. Roedd Huw yn seithfed mab i'w rieni ac, felly, yn naturiol yn berchen ar rymoedd goruwchnaturiol ac, oherwydd ei fod wedi bwyta cig eryr, roedd yn gallu trin pobol a oedd yn dioddef o'r aflwydd ar y croen o'r un enw a byddai'r gallu'n para yn y teulu am naw cenhedlaeth. Tyrrai pobol o bell ac agos i brofi hud a lledrith Huw Llwyd ac arferai ddringo craig hirfain ynghanol afon Cynfal gerllaw, a enwir yn Bwlpud Huw Llwyd, ac yno y byddai'n pregethu ac yn cynnal ei ddefodau gyda'r nos.

Yn ôl y sôn, dymuniad Huw Llwyd pan fyddai farw oedd i'w lyfrau hud a lledrith gael eu taflu i ddyfroedd yr afon ger y pwlpud. Yn wir, yn fuan wedi iddo farw aeth ei ferch â'r llyfrau at yr afon, gan eu taflu i'r dŵr a dwy law yn ymestyn o'r tonnau i dderbyn y llyfrau. Mae chwedl ddiddorol yn adrodd hanes Huw Llwyd yn aros mewn tafarn ym Mhentrefoelas ac wrth yfed ei gwrw daeth pedwar dyn i mewn ac eistedd wrth yr un bwrdd ag ef. Oherwydd ei allu gwyddai Huw mai lladron oeddynt o Ysbyty Ifan a thrwy hud a lledrith gwnaeth i gorn anifail dyfu o ganol y bwrdd. Wrth rythu ar y corn, aeth y dynion i berlewyg. Pan gododd Huw yn y bore, roedd y pedwar dyn yn dal i eistedd

that industry was prevalent in the area at one time. Although officially the mine never employed more than twelve men, a works choir existed – proof that the Welsh could raise a choir in an empty room!

wrth y bwrdd yn syllu ar y corn, fel y gwyddai Huw y byddent. Taflwyd y lladron i garchar mewn perlewyg o hud.

Mae Llyn Gelli-gain yn un arall o lynnoedd yr ardal sydd wedi cyfrannu at ddŵr yfed y boblogaeth, er nad yw'n cyflawni'r gorchwyl hwn er 1993. Eto, mae olion Rhufeinig yn gyffredin; nid yn unig y mae Sarn Helen yn pasio nid nepell o'r llyn, ond mae sawl odyn Rufeinig heb fod ymhell. Roedd Llyn Gelli-gain am gyfnod helaeth o ddechrau'r ugeinfed ganrif yn rhan o ganolfan bwysig i'r fyddin. Ym mhentref Bronaber gerllaw sefydlwyd gwersyll milwrol yn 1906 ar dir fferm Rhiwgoch (roedd gwersyll yn Nhrawsfynydd cyn hynny, ond roedd gwersyll Frongoch yn fwy ac yn fwy pwrpasol ar gyfer hyfforddi). Daeth y ganolfan yn ganolbwynt o bwys yn ystod y Rhyfel Mawr, ac aeth dros 5,000 erw o dir i berchnogaeth y Swyddfa Ryfel. Oherwydd pwysigrwydd y safle codwyd gorsaf reilffordd newydd ym Mronaber er mwyn cludo gynnau mawr, peiriannau milwyr a cheffylau i'r safle. Codwyd ffordd bwrpasol i'r gwersyll. Parhaodd y datblygu hyd at gyfnod yr Ail Ryfel

Llyn Gelli-gain

Byd, gyda chodi nifer o adeiladau parhaol. Roedd gan y fyddin gynlluniau i ddyblu maint y safle yn fuan wedi diwedd y rhyfel, gan droi'r gornel hon o Feirionnydd yn faes tanio a hyfforddi. Bu'r gwrthwynebiad lleol, fodd bynnag, yn ddigon i roi taw ar y cynlluniau a chaewyd y safle yn 1958, ond fe ailagorodd bron ar ei union i roi lletty i weithwyr adeiladu atomfa Trawsfynydd gerllaw. Roedd y safle'n cynnwys nifer o adnoddau, gan gynnwys siopau, eglwys, caffis a hyd yn oed sinema. Bellach, gwersyll gwyliau sydd ar y safle ac mae llethr sgio yn rhan o'r atyniad.

Ychydig filltiroedd o'r llyn mae caer Tomen y Mur, heb fod ymhell o bentref Trawsfynydd. Defnyddiwyd y safle fel llecyn amddiffynnol am sawl cyfnod dros y canrifoedd. Mae chwedlau'r Mabinogi yn cyfeirio at Tomen y Mur fel y llys lle yr ymgartrefodd Lleu Llaw Gyffes a Blodeuwedd. Daeth Lleu i farw yn y gaer, meddai'r hanes, wedi i Blodeuwedd ddisgyn mewn cariad â Gronw Pebr. Fodd bynnag, roedd hi bron yn amhosib lladd Lleu a bu'n rhaid i Gronw Pebr ei daro â gwaywffon pan nad oedd na thu allan na thu mewn, ar gefn ceffyl nac ar y ddaear, ar ddŵr nac ar dir sych. Llwyddodd y ddau gynllwyniwr i wneud hyn trwy gael Lleu i gamu oddi ar gefn gafr i gafn o ddŵr dan gysgodfan wedi ei godi o ddail. Tarodd Gronw Lleu â'i waywffon ar yr eiliad dyngedfennol, ac wrth farw trodd yn eryr (gellir dilyn y stori ymlaen ym Mhennod 3 – Llyn Nantlle). Canfuwyd olion Rhufeinig ar y safle, gan fod llwybr Sarn Helen yn rhedeg gerllaw ac mae'n debyg i'r ymerawdwr Hadrian atgyfnerthu'r gaer a'i dyrchafu o ran ei phwysigrwydd. Mae'r safle'n hynod bwysig i archeolegwyr a haneswyr y cyfnod, gan ei bod yn enghraifft eithaf cyflawn o gaer o'i bath. Mae olion baddondy, barics, lletty ymwelwyr, maes ymarfer, ffosydd, ffyrdd, adeiladau pridd a siamberi claddu yn amlwg ar y safle. Roedd y gaer yn sefyll ar groesffordd Rufeinig, ac yn safle amddiffynnol a strategol o bwys. Roedd un ffordd yn arwain i'r de tua'r Brithdir, un arall i'r dwyrain (ffordd gyswllt â'r briffordd Rufeinig Sarn Helen), ffordd arall yn arwain i'r gogledd i gyfeiriad Caernarfon (Segontium), a ffordd fechan arall yn arwain i'r gorllewin. Daeth y gaer yn ôl i ddefnydd yn ystod y cyfnod Normanaidd fileniwm yn ddiweddarach pan ddaeth byddin William Rufus i geisio

Hiraethlyn

concro'r ardal. Defnyddiodd Rufus y gaer fel safle amddiffynnol, ond roedd Gruffudd ap Cynan yn ddraenen barhaol yn ei ystlys a chiliodd yn ôl tua Lloegr wedi cyfnod byr.

Mae amffitheatr Rufeinig ychydig gannoedd o lathenni o Lyn yr Oerfel a fu'n rhan o gaer Tomen y Mur. Dyma'r unig un o'i bath ym Mhrydain; crochan bychan o amffitheatr ydyw, tua 25 metr ar draws, a fu, mae'n debyg, yn faes ymarfer i'r Rhufeiniaid ddysgu trin arfau.

Mae olion Rhufeinig ardal Tomen y Mur yn eang dros ben ac mae'n debyg bod mwy a mwy o nodweddion yn y tirlun yn cael eu canfod yn rheolaidd sy'n cael eu cysylltu â gweithgaredd milwrol y gaer. Ger Llyn Hiraethlyn mae maes ymarfer Rhufeinig yn ymestyn dros ardal eang. Canfuwyd nifer o'r meysydd hyn yn 1996 wrth i waith ymchwil o'r awyr gael ei gynnal a bellach credir fod pedwar ar ddeg o feysydd tebyg yn yr ardal lle bu'r Rhufeiniaid yn paratoi ar gyfer brwydrau yn erbyn y Celtiaid yn Eryri. Roedd y meysydd hyn yn fwrlwm o weithgaredd, wrth iddynt fireinio technegau ac arfau. Dyma'r clwstwr mwyaf o olion meysydd o'r fath ym Mhrydain ac maent wedi eu cadw'n gymharol gyfan gan na fu amaethyddiaeth yr ardal yn ddibynnol ar beiriannau trwm, gan gynnwys aredig dwfn, yn wahanol i'r rhan helaethaf o Brydain. Daw ffordd gyswllt Sarn Helen heibio i'r llyn hefyd – roedd yr ardal yn sicr yn llawer mwy poblog ar ddechrau'r mileniwm cyntaf nag ydyw'r tiroedd unig yn awr.

Yn ôl y sôn, cafodd Hiraethlyn ei enwi ar ôl llanc a grwydrodd ar y llyn wedi iddo rewi. Roedd ei feddwl ymhell, yn hiraethu ar ôl cariad a gollasai beth amser ynghynt. Roedd y rhew yn denau iawn mewn mannau, oherwydd y ffynhonnau dŵr a godai o'r dyfnderoedd, a thorrodd gan foddi'r llanc. Mewn fersiwn arall o'r stori crwydrodd merch leol a oedd yn byw ar lannau'r llyn ar draws y dŵr wedi i'r rhew ar yr wyneb gael ei orchuddio'n llwyr gan eira. Torrodd y rhew a boddodd y ferch a bu ei chariad yn canu cân o hiraeth ar lan y llyn ar ôl hynny.

Llyn Pryfed a Llyn Tŵr Glas

Un arall o lynnoedd bychain mynyddoedd y Rhiniogydd yw Llyn Pryfed; mae'n gymharol ddwfn, ac yn nodweddiadol o'r llynnoedd mawnog sy'n llenwi'r pantydd. Er ei bod yn ymddangos yn unig i ni heddiw, mae'r ardal hon wedi cynnal poblogaeth ers miloedd o flynyddoedd. Rhoddodd Crawcwellt gerllaw fywoliaeth i bobol ers y cyfnod Mesolithig (Oes y Cerrig). Heddiw, mae'r ardal yn cael ei hystyried fel tir amaethyddol gwael, ond pan oedd coedwigoedd trwchus yn gorchuddio'r tirlun roedd yn gynefin gwych i'r bobol gyntaf a oedd yn hela a chasglu. Mae'n debyg bod olion y bobol hyn yn gymharol gyflawn, wedi eu claddu o dan haenau dwfn o fawn – tir mawnog yw un o'r ecosystemau gorau ar gyfer cadw olion archeolegol yn gyflawn dros filoedd o flynyddoedd oherwydd y diffyg ocsigen sy'n helpu mater organig i bydru. Y broblem i archeolegwyr yw cloddio am olion mewn ardal mor eang. Yn sicr mae olion pendant o fodolaeth dyn yn yr ardal mor bell yn ôl â'r ail fileniwm cyn Crist, oherwydd y tyrrau cerrig yn yr ardal, ac fe welir olion tai crwn a chaeau bychain crwn o'r mileniwm cyntaf cyn Crist. Yn ddiweddarach yn ystod yr Oes Haearn, ychydig cyn dyfodiad y Rhufeiniaid, roedd y boblogaeth leol yn ddibynnol ar economi nad oedd ynghlwm wrth amaethyddiaeth, ond ar buro mwyn haearn o'r gors. Daeth tranc y diwydiant haearn yn ddiweddarach wrth i fwyn rhatach ddod ar y farchnad trwy fasnachu â gwledydd eraill. Mae'r tirlun heddiw yn edrych fel petai heb ei gyffwrdd gan ddynoliaeth, a phrin yw'r olion gweledol erbyn hyn. Yn ystod gwaith cloddio archeolegol a wnaethpwyd gan dîm o Blas Tan-y-bwlch yn ystod diwedd y 1980au canfuwyd tua 6.5 tunnell o olion mwyn haearn, sy'n ei wneud yn brif safle cloddio haearn archeolegol Prydain o'r cyfnod cyn-hanes. Mae'r olion sy'n weddill mor frau fel y byddai aredig y tir unwaith yn eu dinistrio'n llwyr. Dim ond dau y cant o'r holl safle 14 erw sydd wedi ei gloddio ac mae'n debyg bod llawer o'r cyfrinachau yn dal yn y mawn.

Llyn bychan gerllaw Llyn Pryfed ydy Llyn Tŵr Glas, yn uchel yn y Rhiniogydd uwchlaw pentref Trawsfynydd. Gyda llaw, Llanednywain oedd enw gwreiddiol y pentref, ond rhywdro yn niwl amser newidiwyd yr enw i Drawsfynydd, oherwydd bod pob ffordd i'r pentref yn croesi ar draws mynydd, mae'n debyg. Fel sawl ardal yn Eryri, mae geifr gwyllt yn gyffredin ar y Rhiniogydd, ac i'w gweld yn rheolaidd ar lannau Llyn Tŵr Glas. Mae'r geifr wedi bod yn rhan o'r tirlun ers tua 10,000 o flynyddoedd, tua diwedd Oes yr Iâ ddiwethaf, yn ôl y gred. Yn ddiweddar, fodd bynnag, penderfynwyd fod niferoedd geifr gwyllt Eryri ar gynnydd a bod eu presenoldeb yn boendod i'r boblogaeth oherwydd eu bod yn dringo waliau cerrig a'u malu a bwyta blodau gerddi'r Parc Cenedlaethol. Penderfynodd yr awdurdodau fod rhaid cael criw â gynnau i fynd i'r afael â'r broblem ond, yn dilyn gwrthwynebiad lleol, rhoddwyd y gorau i'r cynllun, er mawr ryddhad i eifr y Rhiniogydd!

Mae'r ardal i'r de o'r llyn yn gartref i geirw gwyllt er nad yw Eryri'n gynefin naturiol iddynt. Disgynyddion ceirw danas a ddihangodd o stadau mawr yr ardal yw'r rhain, ceirw a lwyddodd i ddianc rhag cael eu hela trwy fylchu ffensys a dorrwyd gan stormydd.

Although barren and inhospitable nowadays, the landscape supported communities for several millennia. Hunter-gatherers used to inhabit the area, which was rich in flora and fauna in

the mesolithic period before extensive deforestation during the Bronze and early Iron Ages. During the second millennium BC inhabitants erected ritual stone cairns, and remains of roundhouses and the meandering walls of circular fields from the first millennium BC can be seen. Archaeologists have uncovered the remains of a society whose economy revolved around smelting iron from peat bog ore, one of the most important sites of its kind in the British Isles.

On the shores of these tiny lakes the rocks are home to the native mountain goats symbolic of Snowdonia. One of the few native large mammals in the area, they visit Llyn Tŵr Glas regularly

Llyn Pryfed

Llyn Tŵr Glas

as they have done for the best part of 10,000 years. There came a recent threat to some of the population when the authorities decided a cull was needed. The goats were, however, reprieved when public opinion persuaded the authorities to reconsider.

Another wild mammal connected with the woodland to the south is the roe deer; it is, however, non-native and the reclusive animals' ancestors escaped game hunting at local estates by traversing fallen fences during storms.

10

Rhiniogydd a Dolgellau

Llyn Du, Rhiniog Fawr

Llyn Morwynion a Llyn Du

Dyma ddau o lynnoedd uchel y Rhiniogydd, llynnoedd mawnog mewn tirlun garw, anial. Mae Bwlch Tyddiad yn rhedeg ychydig i'r de o Lyn Morwynion, bwlch arall o bwys a fu'n croesi'r mynyddoedd anghysbell gan uno tiroedd eang Trawsfynydd i'r dwyrain gydag arfordir Harlech i'r gorllewin. Fel y gwelwyd yn gynharach, mae'r grisiau Rhufeinig wedi denu llawer o dwristiaid dros y blynyddoedd, yn rhannol oherwydd yr enw camarweiniol. Un ffaith sy'n sicr – roedd y bwlch yn un o brif lwybrau cyflenwi nwyddau i Gastell Harlech a chrëwyd y grisiau wrth wella cyflwr y tir mawnog dan draed.

Draw yr ochr arall i Fwlch Tyddiad mae Llyn Du. Er fod yr ardal bellach yn gwbl anghysbell, bu cryn brysurdeb yma rhyw ganrif yn ôl pan oedd mwyngloddio am fanganîs yn y creigiau o amgylch. Fe fu gan y cloddfeydd bychain hyn ran hanfodol bwysig yn natblygiad y Chwyldro Diwydiannol ym Mhrydain. Roedd gogledd-orllewin Cymru yn un o brif gyflenwyr y mwyn gyda chloddfeydd mewn tair ardal – Mynydd Rhiw, Penrhyn Llŷn, yr Arennig rhwng tre'r Bala a Thrawsfynydd a mynyddoedd y Rhiniogydd. Roedd y manga – fel y'i gelwir yn lleol – yn hanfodol mewn dwy o brif brosesau diwydiannol y chwyldro, sef wrth brosesu cotwm a chodi rheilffyrdd. Er mwyn prosesu cotwm yn effeithiol rhaid oedd mecaneiddio'r broses o gannu, neu wynnu (ar y dechrau gwynnid y cotwm yn yr haul), yn ddiweddarach defnyddid cannydd fel gwynnwr y cotwm, ac roedd manga'n rhan hafodol o'r broses o gynhyrchu cannydd. Ychwanegid manga i'r dur a ddefnyddid i lunio rheilffyrdd hefyd am fod presenoldeb y manga'n caledu'r dur ac yn ymestyn ei oes. Daeth y mwynfeydd anghysbell hyn yn hanfodol mewn cyfnod o ryfel pan oedd hi'n anodd cael cyflenwadau o dramor.

Roedd y diwydiant yn ei fri tua 1887, pan gynhyrchwyd dros ddeuddeg mil o dunelli o fanga yn Sir Feirionnydd. Doedd y diwydiant, fodd bynnag, ddim yn gyflogwr mawr ac, yn ei fri, 280 o ddynion a gyflogid ar y mwyaf yn y sir a diflannodd y diwydiant erbyn diwedd yr Ail Ryfel Byd, heb adael fawr o greithiau ar ei ôl, yn ffodus.

Atop the Roman Steps (steps which are probably not Roman at all, but mediaeval) lies this lake in heather-rich moorland near Bwlch Tyddiad. Bwlch Tyddiad has been an important route linking east and west over the Rhiniogydd range, probably an important supply route to Harlech Castle to the west.

Llyn Morwynion

This lake is now one of the most remote in Snowdonia, but it used to lie at the heart of a vital industry – manganese mining. This small industry at the heart of rural north-west Wales, in the three areas of Lleyn, Arennig and Rhiniogydd, provided a vital ingredient to two essential cogs in the Industrial Revolution – cotton processing (it made the industrial bleaching of cotton possible), and the manufacture of steel for railway lines (adding manganese made the steel harder and more durable). Without the supply from these hills, the Industrial Revolution would have struggled to progress during times of war. By now there is little left of this small, but vital industry and, thankfully, the scars are hardly to be seen nowadays.

Llyn Hywel, Llyn y Bi a Llyn Perfeddau

Mae trindod o lynnoedd yn ymguddio yng nghysgod y Rhiniog Fach – Llyn Hywel ydy'r mwyaf o'r tri. Yn ôl Geraint Roberts yn ei lyfr arbennig ar lynnoedd Eryri cafodd yr un mwyaf hwn ei enwi ar ôl gwas fferm lleol. Aeth Hywel ar goll un noson wrth gerdded o Bont Ddu i Nantcol ac, wedi ymdrech wan i chwilio amdano, cymerwyd iddo ymfudo i America (anhygoel meddwl y byddai rhywun yn ymfudo i America heb ddweud wrth neb!). Fe'i canfuwyd wedi boddi yn y llyn wythnosau'n ddiweddarach. Roedd ei fam yn hynod o chwerw ac fe'i dyfynnwyd yn dweud y byddai ci stad Corsygedol (cyflogwyr Hywel) wedi cael ei ganfod wythnosau'n gynt na'i mab, gan y byddai'r stad wedi chwilio'n eang am hwnnw.

Mae llawer yn ystyried y Rhiniog Fach fel y mynydd harddaf yn y rhan hon o Eryri, yn bennaf oherwydd ei gopa caregog, serth sy'n amlwg o bob cyfeiriad o'i gymharu â chopaon gwelltog, di-nod fel copa'r Llethr.

Llyn y Bi ydy'r ail o'r drindod o lynnoedd, a'r mwyaf dwyreiniol. Mae'r rhediad dŵr o'r llyn yn arwain i'r dwyrain ac yn ymuno ag afon Mawddach i'r gogledd o Ddolgellau yn hytrach nag i'r gorllewin i gyfeiriad Harlech. Mae olion chwarel

lechi Cefn Cam i'w gweld ychydig yn is i lawr y llethr na'r llyn – chwarel fechan oedd hon, mewn ardal lle roedd llechi toi o safon yn brin, er eu bod o'r band Cambriaidd o lechi fel llechi Ffestiniog. Roedd y safle anghysbell yn llyffethair i ddatblygiad y chwarel, gan fod rhaid cludo'r llechi gorffenedig ar gefn ceffylau i lawr i Ganllwyd ac ymlaen i'w gwerthu. Roedd y chwarel wedi gweithio ar lefel ddiwydiannol, fodd bynnag, ac mae olion tŷ rheolwr y chwarel yn dal i'w gweld ar y safle.

O'r tri llyn sy'n nythu yn y cwm creigiog rhwng copa'r Rhiniog Fach a chopa'r Llethr, Llyn Perfeddau yw'r mwyaf gorllewinol. Y Llethr ydy copa uchaf criw y Rhiniogydd o fynyddoedd. Gerllaw daw Bwlch Drws Ardudwy i wahanu'r Rhiniog Fawr a'r Rhiniog Fach. Roedd y bwlch yn un arall o brif lwybrau'r oes a fu i groesi o Ddyffryn Ardudwy tua'r dwyrain i ardal Trawsfynydd.

Cafodd y llyn ei enwi, medden nhw, ar ôl stori serch hynod o drist. Roedd môr-forwyn arbennig o hardd yn byw yn y llyn ac roedd yn gyfeillgar iawn â'r trigolion lleol. Daeth bugail yn ffrindiau â hi a chyn hir roedd e wedi disgyn mewn cariad â'r fôr-forwyn. Yn anffodus, roedd gan y bugail gariad arall a daeth honno i wybod yn ei thro am gariad y bugail tuag at ferch y llyn. Yn ei gwylltineb, aeth i'r llyn gyda chriw o'i ffrindiau i ladd y fôr-forwyn. Yna, aeth ati i ddiberfeddu ei phrae er mwyn gwneud yn siŵr na allai atgyfodi. Taflwyd ei pherfeddion i'r llyn – a dyna enwi'r llyn, yn ôl y sôn.

Llyn Hywel is the largest of the trinity of lakes nestling beneath the pinnacle of Rhiniog Fach and it was named after Hywel, a farm worker who disappeared one night on his way from Bont Ddu to Nantcol. After a short search, he was presumed to have emigrated to America! His body was discovered weeks later in the lake. Considered the jewel in the crown of the Rhiniogydd range, Rhiniog Fach stands out with its rocky peak, despite being smaller than its surrounding peaks.

Llyn y Bi, the second of the trinity of lakes below Rhiniog Fach, drains to the east towards Ganllwyd and the Mawddach. The remains of Cefn Cam quarry can be seen by the outflow where small-scale slate quarrying happened for a while.

Gloywlyn, Llyn Cwmbychan a Hafod y Llyn

Llyn y Bi

The westernmost of the trinity of lakes is Llyn Perfeddau and the nearby mountain col of Bwlch Drws Ardudwy runs between the twin peaks of Rhiniog Fach and Rhiniog Fawr, an important thoroughfare in former times. Another tale recalls the naming of the lake. It involves, strangely, a mermaid living in the lake who won the admiration of a local shepherd. The shepherd, though, already had a girlfriend and she enlisted a gang of friends to chase and kill the mermaid, disembowelling her entrails into the lake ('perfeddau' are entrails in Welsh).

Dafliad carreg o gopa Rhiniog Fawr mae Gloywlyn yn llenwi pant yn y creigiau geirwon. Dyma lyn sydd, eto, yn nodweddiadol o lynnoedd yr ardal – mynyddig a mawnog.

Ychydig yn is na Gloywlyn ym mhlwyf Llanbedr mae pentref bychan Cefncymerau a chapel Salem, capel enwocaf Cymru o bosib. Yma y daeth Curnow Vosper i baentio'r olygfa enwog o Siân Owen yn cyrraedd y gwasanaeth ac enwodd yr arlunydd o dde-orllewin Lloegr y llun ar ôl y capel.

Yn nes at y môr mae llecyn poblogaidd Mochras a grëwyd, mewn gwirionedd, wrth i aber afon Artro gael ei symud i'r gogledd gan Iarll Winchelsey yn 1819. Ymgais oedd hon i adennill tir i'r de o Fochras ar gyfer amaethyddiaeth. Mae chwedloniaeth leol yn mynnu bod Cantre'r Gwaelod yn arfer bodoli yn y môr ger Mochras. Mae'r tir a adenillwyd yn safle maes awyr Llanbedr erbyn hyn, oedd yn bwysig yn amddiffynnol hyd nes ei gau'n ddiweddar. Yn arwain i'r môr o Mochras mae rhimyn o graig yn rhedeg am un filltir ar ddeg dan y môr i gyfeiriad Iwerddon. Dyma Sarn Badrig. Gall y sarn fod yn un o forgloddiau Cantre'r Gwaelod neu'n groesfan chwedlonol i deithwyr ymweld ag Iwerddon. Pwy a ŵyr?

Ymhellach i'r de-orllewin ar rediad gorllewinol y Rhiniogydd rhed afon Artro i'r môr ger Llandanwg. Tarddiad yr afon yw Cwmbychan ar lethrau'r mynyddoedd. Mae Llyn Cwmbychan yn gymharol fawr o'i gymharu â llynnoedd eraill yn yr ardal. Daw llawer o ymwelwyr i ymweld â'r cwm i droedio'r Grisiau Rhufeinig. Er eu henwogrwydd, credir nad oes cysylltiad o gwbl â chyfnod y Rhufeiniaid ond iddynt gael eu gosod yn y Canol Oesoedd i hwyluso'r daith trwy fwlch Tyddiad i Drawsfynydd.

Perthyn stori serch i lannau Llyn Cwmbychan wrth i Cadwen, merch tirfeddiannwr lleol o'r enw Cadwgan, ddisgyn mewn cariad â Merwydd, un o fugeiliaid ei thad. Fel yr oedd yn gyffredin yn yr oesoedd a fu, doedd y garwriaeth ddim yn plesio'r tad ac aeth ati i geisio ei hatal. Daeth tro i'r stori yn dilyn storm enfawr a barodd am dridiau. Canfuwyd corff Merwydd yn gelain wrth y llyn, mewn llecyn wrth Garreg y Saeth. Torrodd Cadwen ei chalon a chanfuwyd ei chorff hithau yn yr un lle yn ddiweddarach. Claddwyd y ddau yn y fan a chodwyd carnedd i nodi'r lleoliad. Mae eu hysbrydion yn dal i gerdded glannau'r llyn, yn ôl y sôn, ac yn ystod stormydd gwelir golau'n dawnsio ger Carreg y Saeth.

O'i gymharu â llynnoedd diarffordd niferus yn y Rhiniogydd, mae Hafod y Llyn ynghanol tir amaethyddol mwy ffrwythlon a phoblog. Golyga hyn fod straeon gwerin a chwedlau yn fwy cyffredin yn yr ardal, ac er fod amaethyddiaeth eithaf dwys wedi ei arfer yno ers canrifoedd lawer, mae olion archeolegol cynhanesyddol o bwys yn niferus iawn. Mae'r tirlun caregog yn frith o feddrodau a charneddau cynhanesyddol. Yn ôl Geraint Roberts, cafodd dihiryn go frith ei erlid yn ardal Hafod y Llyn a Drws yr Ymlid, ei ddal yn y diwedd yng Nghwmbychan a'i ddienyddio trwy ei ferwi i farwolaeth!

Roedd cloddfa fanganîs Penarth ar lan y llyn yn nodweddiadol o'r math o fwyngloddio lleol ddechrau'r ugeinfed ganrif gan gyflogi ugain o weithwyr ar ei hanterth, ond byrhoedlog fu ei hoes ar y cyfan.

Typical of the lakes of the area, Hafod y Llyn is a stone's throw from the highest peak in the range – Rhiniog Fawr. Further towards the coast, Salem, the small chapel at Cefncymerau, has become one of the most famous chapels in Wales. The reproduction of Curnow Vosper's painting of Siân Owen in the chapel has become one of the images most representative of the Welsh Non-conformist movement. At Mochras (Shell Island), a long 11 mile reef extends towards Ireland and has connections with Irish myth and legend as well as the lost land of Cantre'r Gwaelod. Nearby Llanbedr airfield has played a vital role both in war- and peace-time.

Although famous for being the starting point of the Roman Steps, the path laid out in stone is probably mediaeval in origin and formed an important route linking Trawsfynydd with the coast. The tragic tale of Cadwen who fell in love with her father's shepherd, Merwydd, is connected with the lake.

Cadwen's father, Cadwgan, frowned upon the relationship and worked to drive the couple apart. During a storm that lasted for three days Merwydd went missing and his body was found on the banks of the lake. Cadwen broke her heart and died on Merwydd's grave. A cairn marks the spot and can still be seen.

Hafod y Llyn is one of the few lakes in the area in prime agricultural land, and has formed an inhabited landscape since the mesolithic era – the ritual burial chambers and cairns are evident in abundance. A notorious outlaw was pursued, caught, and subsequently boiled to death in the area. A small-scale manganese mine adorns the bank of the lake. Although now overgrown, it used to employ twenty men.

Llyn Cwmbychan

Gloywlyn

Llyn y Frân a Llyn Cwm Mynach

Yn wahanol i'r rhan fwyaf o'r llynnoedd yn y bennod hon, nid yw Llyn y Frân yn uchel yn y Rhiniogydd ond yn hytrach yng nghanol y tiroedd creigiog uwchlaw Cwm Camlan ger pentref Ganllwyd, ychydig yn nes at Ddolgellau. Mae'r rhan helaethaf o'r cwm bellach yn goedwig drwchus ac mae afon Camlan yn nadreddu ei ffordd trwy'r coed tua afon Mawddach yn is i lawr y dyffryn.

Mae nifer yn honni mai dyma safle un o frwydrau enwocaf y Brenin Arthur, er fod yna ddau gwm o'r enw Cwm Camlan, y llall ger Dinas Mawddwy. Yn ôl y gwybodusion, cafodd Arthur a'i fyddin eu hamgylchynu gan Faelgwn Gwynedd yng Nghwm Camlan heb fod ymhell o'r Rhaeadr Ddu. Cafodd Arthur a'i fyddin grasfa a'u herlid o'r ardal, yn ôl y sôn. Mae'r stori'n cael ei hawlio gan y Cwm Camlan arall hefyd!

Mae coedwig Coed y Brenin yn tra-arglwyddiaethu dros yr ardal, coedwig a ddaeth o berchnogaeth stad y Nannau yn nauddegau'r ganrif ddiwethaf i fod yn rhan o bortffolio'r Comisiwn Coedwigaeth. Fe'i hymestynnwyd yn helaeth gan y Comisiwn ac mae bellach yn un o brif ganolfannau beicio-mynydd Cymru.

Mae Cwm Mynach yn ardal goediog, fel y mae ardal eang iawn i'r gogledd o Ddolgellau. Mae cynhaeaf y coed yn yr ardal wedi cyfrannu'n helaeth at yr economi leol, ond nid yw'r cyfraniad ond diferyn o'i gymharu ag un adnodd arall sydd i'w ganfod yn y bryniau o amgylch y llyn – aur. Mae rhai o gloddfeydd aur enwocaf Prydain i'w cael i'r gorllewin o'r llyn – Clogau, Figra a Gwynfynydd. Cloddiwyd aur ar y safle o 1862 hyd at ddiwedd y 1990au, er fod y rhan fwyaf wedi ei gloddio yn y *goldrush* cyntaf hyd at y 1920au. Fe naddodd cloddfa Clogau 78,507 owns 'troy', sef 2,442kg o aur pur, yn ystod ei hoes ac nid oedd cyfanswm y cloddfeydd eraill ond canran fechan o hyn. Mae'n wybyddus mai aur o'r bryniau hyn sydd wedi ffurfio modrwyau priodas teulu brenhinol Lloegr o'r Frenhines Elizabeth yn 1923 hyd at y presennol.

Prynwyd dros fil o erwau o Gwm Mynach sy'n amgylchynu'r llyn gan yr Ymddiriedolaeth Goedwigoedd am dros hanner miliwn o bunnau yn 2010 gyda'r bwriad o adnewyddu'r goedwig i greu coedwig goed caled naturiol yn hytrach na'r pinwydd sydd yno ar hyn o bryd.

Llyn y Frân

Llyn y Frân sits near the Coed y Brenin forest at Ganllwyd and is a very different landscape to most lakes in this chapter. According to Arthurian legend, no less, Cwm Camlan, the wooded valley beneath the lake, was the battlefield between King Arthur and his men and the troops of Maelgwn Gwynedd. It was Arthur's men who fled with their tails between their legs. Another valley called Cwm Camlan near Dinas Mawddwy also lays claim to the legend.

The woodland surrounding the lake has recently been bought by the Woodland Trust for posterity, but the area's most valuable resource has been dug from the bedrock – gold. Several mines operated, the biggest and by far the most famous being Clogau. Clogau mine extracted 2,442kg of pure gold from the hills over its lifespan, famously producing wedding rings for the Royal Family since 1923.

Llyn Cynwch

Oherwydd mai Llyn Cynwch yw'r llyn agosaf at dref Dolgellau, mae'n naturiol fod y cyflenwad dŵr yn dod o'i ddyfroedd. Ymestynnwyd y llyn ar ddiwedd y 1960au er mwyn cronni mwy o ddŵr. Mae'r ardal o amgylch y llyn yn ferw o hanes, diwylliant a chwedlau.

Un o nodweddion archeolegol pwysica'r ardal ydy Abaty Cymmer. O'i gymharu â gweddill abatai Cymru, cymharol ifanc yw hwn a daeth yn sefydliad Sistersiaidd yn 1198 gan Maredudd ap Cynan (cefnder Llywelyn Fawr). Brawd bach tlawd ydoedd. Er ei fod mewn bri cyn concwest Iorwerth I, gan gyfrannu'n helaeth i wleidyddiaeth Cymru, bu newid byd yn dilyn troad y drydedd ganrif ar ddeg. Roedd Llyn Cynwch yn chwarae rhan yng nghynhaliaeth yr abaty gan fod pysgota, ffermio defaid a masnachu ac adeiladu cychod bychain yn ffordd o gynnal y myneich, yn ogystal â mwyngloddio a chadw gwartheg. Doedd fawr o drefn ar yr abaty ac aeth yn dlotach fyth o dan ofalaeth Sion ap Rhys (roedd ganddo enw drwg am lenwi ei bocedi ei hun), a dyma un o'r abatai olaf i gael ei ddiddymu. Daeth oes yr abaty i ben yn 1537, yn dlawd, di-nod a diarffordd.

Fel sawl man yn Eryri, edrycha bryngaer Moel Faner dros y llyn; dyma gaer arall yn dyddio'n ôl i'r Oes Haearn. Mae gan bron pob craig sydd â golygfa dda olion safleoedd amddiffynnol o'r cyfnod cynhanesyddol yn y rhan yma o'r byd.

Ceir hanes difyr gwas o'r enw Owen o stad Nannau gerllaw'r llyn a oedd yn canlyn morwyn o'r enw Siwsi o fferm Dôl y Clochydd. Roedd y daith i Ddôl y Clochydd ychydig filltiroedd i'r gogledd. Un noson dywyll, tra oedd yn cerdded draw i ymweld â'i gariad, collodd ei ffordd a daeth anffawd i'w ran wrth iddo ddisgyn i ddyfroedd Llyn Cynwch. Gan na fedrai nofio, a'i fod yn gwisgo dillad gwlân trwm, dechreuodd suddo i'r dyfnderoedd. Gwelodd nad oedd suddo'n is ac yn is yn brofiad amhleserus a dechreuodd ei feddwl glirio. Sylweddolodd ei fod yn gallu anadlu fel arfer a goleuodd gwaelod y llyn i ddatgelu gwlad brydferth, braf. Wrth grwydro'r wlad honno daeth ar draws gŵr bychan, moel a gofynnodd hwnnw ei hanes. Wedi i Owen adrodd ei stori, cytunodd y gŵr y gallai aros yno am gyfnod ac, yn wir, y gallai ymuno ag ef am wledd yn y plas.

Penderfynodd Owen y byddai'n aros yno hyd nes iddo flino. Ymhen hir a hwyr, gofynnodd i'r gŵr am y ffordd ymlaen i Ddôl y Clochydd a chafodd ei arwain ar hyd llwybr ac at faen mawr. Wrth godi'r maen, sylweddolodd ei fod yn ymddangos oddi tan garreg aelwyd Dôl y Clochydd. Roedd Siwsi'n aros amdano wrth y tân, ac yn crio. Wedi ei darbwyllo nad ysbryd ydoedd Owen, cafodd sioc o ganfod (yng ngwir draddodiad y tylwyth teg) iddo fod i ffwrdd, nid am awr neu ddwy, ond am fis.

Bu gwiber enfawr yn peri cryn ofid i drigolion yr ardal trwy swyno pobol leol cyn eu lladd a'u bwyta. Cynigiwyd gwobr i unrhyw un a allai ei dal ond, yn y diwedd, cafodd ei thrywanu gan fugail ifanc trwy ei llygaid tra cysgai. Claddwyd y bwystfil mewn llecyn ar lan Llyn Cynwch a elwir hyd heddiw yn Garnedd Bedd y Wiber.

Llyn Cynwch, now a reservoir watering the people of Dolgellau, is an area steeped in history, myth and legend. Nearby Cymmer Abbey was once a major political force before Edward I's foray into Wales but ended up as an economic disaster before its

Llyn Cynwch

and was invited to a ball by a short, bald man. After some time, he asked to leave, and was led up a path and to a stone. Upon moving the stone, he found himself clambering from under the hearth at Dôl y Clochydd. Siwsi was in tears waiting for him. In true fairytale style, he found that he'd been away for a month, rather than a few hours.

Another legend from the area tells of a man-eating serpent who would mesmerise victims before eating them. A bounty was placed on the beast, which was eventually killed whilst sleeping by a young shepherd who stabbed him through the eye. Its burial site is still known as Carnedd Bedd y Wiber (cairn of the serpent's grave).

Llyn Dulyn, Llyn Bodlyn a Llyn Erddyn

Mae Llyn Dulyn uwchlaw Llyn Bodlyn a rhwng dau gopa uchaf cyfres y Rhiniogydd o fynyddoedd sef y Llethr a Diffwys. Mae carreg yn y dŵr ar ben sarn o gerrig sy'n cael ei galw'n Allor Goch ac mae'r un chwedl yn bodoli ag yn y Carneddau – y bydd ei gwlychu ar ddiwrnod tesog o haf yn siŵr o wneud iddi fwrw glaw cyn nos. Mae cyd-ddigwyddiad yn annhebygol, ond mae'n anodd dychmygu sut y teithiodd chwedl ugeiniau o filltiroedd o un pen i'r Parc Cenedlaethol i'r llall heb gamddealltwriaeth rywle yn nhreigl amser.

Cronfa ddŵr ydy Llyn Bodlyn erbyn hyn a gan fod lôn drol yn arwain yr holl ffordd i fyny i'r llyn mae'n eithaf poblogaidd o'i gymharu â llynnoedd eraill. Codwyd wal i gronni'r dŵr ddiwedd y bedwaredd ganrif ar bymtheg ac mae trigolion tref y Bermo yn dal i yfed dŵr y llyn. Ynghyd â Llyn Padarn a Llyn Cwellyn, dyma'r unig lyn yn Eryri sy'n gartref naturiol i'r pysgodyn torgoch, ond cafodd ei gyflwyno i lynnoedd eraill yng ngogledd Eryri yn gymharol ddiweddar i sicrhau parhad y rhywogaeth. Yn ôl y sôn, rhoddwyd y torgoch gan y tylwyth teg i fugeiliaid glannau Llyn Bodlyn yn rhodd am gael eu help a dysgodd y tylwyth teg y bugeiliaid sut i'w ddal.

dissolution in 1537. Centuries before, the Iron Age hillfort of Moel Faner was another of the fortifications dotting all major vantage points in the area. A tale recalls a servant called Owen who, whilst on his way to visit his girlfriend Siwsi at Dôl y Clochydd, fell into Llyn Cynwch. Sinking to the bottom, he found a new land

Yn Nyffryn Ardudwy, ychydig yn is i lawr y dyffryn o'r llyn, ceir plasty mawreddog Cors y Gedol. O'r bymthegfed ganrif hyd at yr ail ganrif ar bymtheg bu'n gartref i deulu'r Vaughaniaid a oedd yn dirfeddianwyr dylanwadol. Tyfodd eu grym tros y blynyddoedd trwy briodas a gwleidyddiaeth a daeth Richard Vaughan yn Aelod Seneddol dylanwadol dros Feirionnydd. Chwaraeodd ran allweddol wrth ddyrchafu Harri'r VII (Harri Tudur) i orsedd Lloegr, a bu'r teulu'n ddylanwadol am ganrifoedd. Gyda llaw, roedd Richard Vaughan hefyd yn enwog am ei faint chwedlonol! Wrth gyrraedd San Steffan ar ddyletswydd, rhaid fyddai agor dau ddrws y Tŷ Cyffredin i'w adael i mewn!

Yng nghysgod Craig Llawlech, mae llyn eithaf sylweddol o'r enw Llyn Erddyn yn cuddio mewn cornel ddiarffordd o Feirionnydd. Er nad oes 'run enaid byw yn yr ardal heddiw, mae digon o olion o fodolaeth poblogaethau dros y canrifoedd. Mae carnedd ar ben Llawlech sy'n edrych dros y llyn ac fe chwaraeodd ran bwysig ym mywydau ysbrydol a defodol y boblogaeth ac wrth gladdu meirw trigolion yr ardal yn ystod yr Oes Efydd. Mae caer Craig y Dinas [*sic*] uwchlaw'r llyn yn dyddio'n ôl i'r Oes Haearn ac yn nodweddiadol o'r math o gaerau o'r cyfnod sydd i'w gweld ledled Cymru. Roedd yr Oes Haearn yn llawer mwy rhyfelgar na'r Oes Efydd cynt a bu codi safleoedd amddiffynnol mewn bri. Roedd y llwythau Celtaidd yn aml yn fychan, ond yn gwerylgar ac roedd natur fynyddig Cymru'n benthyg ei hun i'r gymdeithas gaerog a ddatblygodd. Codwyd caerau mwyfwy amddiffynnol, ac yn aml byddai delwedd amddiffynfeydd y gaer wrth agosáu ati o gyfeiriadau arbennig yn bwysicach na'u gallu i amddiffyn mewn gwirionedd. Roedd statws y gaer yn hanfodol a byddai gweithwyr cyffredin y tiroedd islaw yn ochri gyda'r gaer â'r statws uchaf, gan y byddent yn ddibynnol ar ei hamddiffynfeydd adeg rhyfel. Fel rhan o'r berthynas rhwng y dinesydd cyffredin a thrigolion y gaer rhaid oedd iddo neilltuo cyfran o'i amser i atgyfnerthu amddiffynfeydd. Roedd y broses o atgyfnerthu yn aml yn hollbwysig, a'r canlyniad oedd bwtresi neilltuol o gadarn i amddiffyn caerau cymharol di-nod. Gadawodd y cyfnod hwn o

Llyn Dulyn

ychydig ganrifoedd ei ôl yn fwy na 'run cyfnod arall ar dirlun Eryri hyd nes y Chwyldro Diwydiannol ac, o ddod i adnabod yr olion cynhanesyddol hyn, gwelir eu bod yn addurno pob dyffryn a chwm yn Eryri. Mae carneddau Hengwm ychydig ymhellach

Llyn Bodlyn

Llyn Bodlyn

The southernmost of the three 'Dulyns' in Snowdonia, this Llyn Dulyn too has a steep cliff rising nearby, casting a shadow that darkens the lake – Dulyn means black lake in Welsh. Another element this Dulyn has in common with its northernmost namesake is the legend of the Red Altar rock. According to legend, if the rock is sprinkled with water on a balmy summer's day, it will rain before the day is out. It's a mystery as to why the legend has been attached to both lakes at opposite ends of the park.

Since becoming a reservoir over a century ago to provide water for the people of Barmouth, Llyn Bodlyn has turned into a popular hang-out for outdoor pursuit junkies. Nearby in Dyffryn Ardudwy the ancestral home of the Vaughan family at Cors y Gedol has influenced the area for almost half a millennia. Robert Vaughan played a pivotal role in thrusting Henry VII to the English throne. Llyn Bodlyn is the natural habitat to a rare species of fish, the *torgoch* (Arctic red-bellied char), and is one of only three lakes in Snowdonia (the others being Llyn Cwellyn and Llyn Padarn) where this fish can be found.

This is another area of Snowdonia virtually deserted of human activity today, but with plenty of remains from times when the peaty land supported a population. A cairn overlooking the lake dates back to the Bronze Age, whilst the fort of Craig y Dinas dates back to the Iron Age. The Iron Age is probably the period which left its mark on the Welsh landscape more than any other until the Industrial Revolution. The war-happy inhabitants of the age built a society based around a network of hillfortresses which provided protection during frequent times of conflict. The building and reinforcement of these fortifications and ramparts became part of the fabrication of society, whereby the ordinary man working in the field forfeited some of his time to the upkeep of the fort in exchange for protection during times of upheaval. These forts can still be seen prominently, dotted all over the Welsh landscape.

i'r de-orllewin yn dyddio'n ôl ymhellach i gyfnod llai rhyfelgar – Oes y Cerrig.

Mae Bwlch y Rhiwgyr uwchlaw'r llyn yn rhan bwysig o lwybr y porthmyn a fu'n cysylltu Dyffryn Ardudwy â Mawddach.

Llyn Erddyn

11

De Meirionnydd

Llyn Cregennen

Llyn Barfog

Y llyn bychan hwn ydy'r mwyaf deheuol ym Mharc Cenedlaethol Eryri. Dafliad carreg o aber afon Dyfi, mae'r llyn yn boblogaidd gyda cherddwyr gyda llwybr yn arwain i fyny ato o Gwm Maethlon. Fel nifer o lynnoedd tebyg, sydd heb fod ymhell o boblogaethau gwledig, mae'r tylwyth teg yn gysylltiedig â'r llyn. Yma cawn hanes y bobol fach hoffus yn gofalu am eu gwartheg ar lan y llyn pan ddaw ffermwr heibio a chymryd un o'r gwartheg i'w fuches ei hun. Magodd y fuches yn llwyddiannus am flynyddoedd, gan ddod â chyfoeth i'r ffermwr, ond daeth y dydd pan fu'n rhaid galw'r cigydd at yr hen fuwch. Wrth i'r cigydd baratoi i ladd y fuwch fferrwyd ei fraich, a'i gadael yn ddiymadferth, a chlywyd lais egwan yn galw'r fuwch yn ôl i'r llyn. Wedi i'r fuwch ddiflannu, daeth y fuches a'r fferm i anlwc a bu farw'r ffermwr yn ddyn tlawd.

Mae chwedl boblogaidd yr Afanc yn perthyn i Lyn Barfog. Fel y gwelwyd, mae'r Afanc erchyll yn cael ei gaethiwo a'i lusgo o un llyn i lyn mwy anghysbell gan arwr ac, yn y fersiwn hwn o'r stori, gan neb llai na'r Brenin Arthur. Mae Arthur yn llusgo'r Afanc mewn cadwyni â'i geffyl a'i adael yn Llyn Cau ar lethrau Cadair Idris. Mae fersiwn mwy diweddar a luniwyd gan Iolo Morganwg yn honni mai Hu Gadarn oedd yr arwr, ond cysylltir hwnnw â Glaslyn ar lethrau'r Wyddfa. Mae ôl carn honedig wedi ei naddu i graig ger y llyn â'r geiriau 'Carn March Arthur' wedi eu crafu oddi tano.

Cafodd ardal Cwm Maethlon islaw'r llyn ei ailenwi'n 'Happy Valley' gan dwristiaid yn Oes Fictoria, yn anffodus.

Llyn Barfog, a popular little lake above Cwm Maethlon (dubbed 'Happy Valley' by the Victorians), has connections with the popular legend of the Afanc – the half beaver, half dragon. This time the hero of the day is none other than King Arthur, who manages to drag the creature in chains from Llyn Barfog to Llyn Cau on Cadair Idris. The hoof prints can still be seen by the lake, so they say. The *tylwyth teg* make an appearance as well: this time a local farmer prospers after adopting one of their cattle from the

Llyn Barfog

lakeside. After several years, the farmer sends for the butcher to slaughter the cow, but whilst preparing for the slaughter his arm freezes and is rendered lifeless, and the cow is saved. Following the cow's return to the lake and to the *tylwyth teg*, the farmer's fortune wanes and he eventually dies a poor man.

Llynnau Cregennen a Llyn Cyri

Dau o lynnoedd mwyaf poblogaidd de Sir Feirionnydd yw Llynnau Cregennen. Gwelir y lleoliad yn aml rhwng cloriau llyfrau a chylchgronau ffotograffig ac mae ymwelwyr yn cael eu denu yno yn eu miloedd yn ystod yr haf. Heb os, ar fore cynnar iawn yn y gwanwyn neu'r hydref ydy'r amser gorau i ymweld, pan fo'r tarth yn dal i orwedd yn isel ar wyneb y llyn a'r lleisiau estron ymhell i ffwrdd.

Gerllaw'r llyn mae Arthog, pentref bychan difyr sy'n edrych draw dros aber Mawddach am dre'r Bermo. Yma yr oedd man cychwyn y llinell reilffordd yn rhedeg o Riwabon ger Wrecsam, llinell y soniwyd amdani sawl gwaith ar ein taith trwy Eryri heibio i Drawsfynydd ac i fyny Cwm Celyn. Rhedodd y trên olaf ar hyd y cledrau ym 1964. Roedd y pentref yn ganolfan hyfforddi i'r Môr-filwyr Brenhinol yn ystod yr Ail Ryfel Byd a chymerwyd rhes o dai amlwg yn y pentref o'r enw Cilgant Mawddach fel pencadlys i'r ganolfan a gafodd y cudd-enw 'Camp Iceland'.

Ychydig gannoedd o lathenni i'r gorllewin o'r llynnoedd mae Llys Bradwen, cartref yr ymladdwr enwog Ednowain ap Bradwen a anwyd tua 1150. Pennaeth un o bymtheg llwyth Gwynedd ydoedd ac yn ei ddydd roedd mor enwog ag Owain Gwynedd ac yn arweinydd parod i frwydrau cyson y cyfnod. Defnyddiwyd ei lys yn ystyr llythrennol y gair gan arglwyddiaethu dros faterion cyfreithiol ardal eang. Mae hyn o bosib yn cysylltu â'r gred yn lleol fod crocbren yn arfer sefyll ar groesffordd wrth y llyn lle byddai'r euog yn cael eu dienyddio, gan egluro enw'r llyn, efallai – y Llynnoedd Crogi.

Un o gopaon gorllewinol rhwydwaith Cadair Idris o fynyddoedd yw Craig y Llyn, ac mewn cwm i'r gogledd mae Llyn Cyri. Dyma darddiad afon Arthog, afon sy'n ymuno â'r Fawddach ychydig cyn iddi lithro allan i Fae Ceredigion.

Llynnau Cregennen

Llyn Cyri

Mae dau leoliad o bwys cenedlaethol i'w canfod heb fod ymhell o'r llyn drosodd yn Nyffryn Dysynni. Un ohonynt yw cartref Mari Jones. Mae'r stori'n gyfarwydd, sef am y ferch ysgol bymtheg oed o Lanfihangel-y-Pennant a gerddodd bum milltir ar hugain i dre'r Bala i brynu Beibl gan Thomas Charles ddiwedd y ddeunawfed ganrif. Wedi cynilo ei harian am chwe blynedd dechreuodd ar y daith yn droednoeth, ond wedi cyrraedd y Bala doedd gan Thomas Charles 'run Beibl ar ôl ond, wedi ei ysbrydoli gan ei stori, rhoddodd ei gopi ei hun iddi. Bu i daith Mari Jones ysbrydoli Thomas Charles i sefydlu ymgyrch i gyflenwi Cymru gyfan â Beiblau. Mae Beibl gwreiddiol Mari Jones yn archifau'r Gymdeithas Feibl Brydeinig a Thramor ym Mhrifysgol Caergrawnt.

Yr ail leoliad o bwys ydy Castell y Bere, nid nepell o gartref Mari Jones yn Nyffryn Dysynni. Codwyd y gaer gan Lywelyn Fawr yn nauddegau'r ddeuddegfed ganrif. Bwriad y safle oedd amddiffyn llwybrau masnach rhwng Gwynedd, y Deheubarth a Phowys Wenwynwyn. Wedi ymosodiadau Iorwerth I ddiwedd y ganrif, Castell y Bere oedd un o'r cadarnleoedd ola i ddisgyn i ddwylo'r Saeson ac, wedi gwarchae yn 1283, disgynnodd y castell i'r gelyn. Fodd bynnag, cododd y Cymry naw mlynedd yn ddiweddarach gan gipio'r castell, ond fe'i collwyd i'r gelyn unwaith eto y flwyddyn ganlynol. Difrodwyd y gaer yn helaeth yn ystod y cyfnod hwn ac ni ddefnyddiwyd hi wedyn er i'r Saeson fwriadu codi tref ar y safle.

A photographer's dream, Llynnau Cregennen are two of the most beautiful lakes in Snowdonia. Below, the village of Arthog was the junction for the mainline route to Ruabon, near Wrexham, which used to pass through the heart of the National Park; the route finally closed in 1964. The village was taken over by the Royal Marines during the Second World War as a training camp – Camp Iceland. The ruins of a once famous court can be seen near the lake – the court of famous chieftain Ednowain ap Bradwen, leader of one of the fifteen tribes of Gwynedd in the 10th century. There could be a link between the court and the gallows that used to stand nearby, and a possible meaning for the lakes' name – *crogi* is hanging in Welsh.

The source of the river Artro, this lake is situated at the western banks of the Cadair Idris massif and is close to two sites of national interest. The birthplace of Mari Jones in Llanfihangel-y-Pennant, it was the starting place for her famous barefooted journey at the age of fifteen to Bala, over 25 miles away, to purchase a Bible from Thomas Charles. The epic journey inspired a campaign to bring Bibles to all the people of Wales. Nearby Castell y Bere was a noted battleground during Edward I's invasion; originally built by Llywelyn the Great it was taken by the English in 1283, but was subsequently retaken by the Welsh and then again by the English before being abandoned as a fortress.

Llyn Gwernan

Llyn Gwernan, Llyn y Gadair, Llyn Gafr a Llyn Aran

Ychydig i'r de-orllewin o dref Dolgellau mae Llyn Gwernan yn llenwi llawr y dyffryn cul. Am ganrifoedd, y ffordd heibio i'r llyn oedd y briffordd o Ddolgellau i'r de-orllewin – y Ffordd Ddu.

Wrth weithio'n ffordd o ogledd Eryri mae cloddfeydd manganîs y Rhiniogydd wedi cyfnewid lle â gweithfeydd aur Dolgellau, ac erbyn hyn chwareli llechi sydd i'w gweld ar y tirlun, ac mae'r patrwm yn cynyddu yr holl ffordd i Gorris lle roedd y cloddio yn ei anterth. Mae olion Chwarel Penrhyn Gwyn i'w gweld yn amlwg ar y llethrau uwchlaw'r llyn. Roedd y diwydiant llechi'n nodedig am fod yn wastraffus yn y broses o gynhyrchu llechi toi, ond roedd y chwareli yn ne Sir Feirionnydd yn cynhyrchu hyd yn oed mwy o rwbel nag arfer. Er fod tomenni Chwarel Penrhyn Gwyn yn helaeth, ychydig iawn o garreg ddefnyddiol a gynhyrchwyd yno ac wedi iddi gynhyrchu ychydig gannoedd o dunelli o lechi toi caeodd y chwarel yn 1899.

Mae Craig y Castell yn codi'n serth o lannau'r llyn ac mae olion bryngaer ar ben y graig yn dyddio o'r Oes Haearn; ychydig ymhellach draw i'r gogledd mae pont enwog Penmaenpool. Pont doll ydy hon a godwyd o goed yn 1879. Digwyddodd trychineb wrth y bont yn 1966 pan darodd fferi'r *Prince of Wales* yn ei herbyn gan ladd pymtheg o bobol gan gynnwys pedwar o blant.

Mae'r cysylltiadau'n amlwg rhwng Llyn y Gadair a Chadair Idris, yn enwedig wrth gofio bod y llyn yn eistedd bron mewn crochan yng nghrombil y mynydd. Dyma, yn wir, gadair Idris – ei orsedd. Idris Gawr, meddir, a roddodd ei enw i'r copa ac roedd yn eistedd ar ei orsedd yn syllu ar y sêr – dyna faes ei arbenigedd. Yn ôl traddodiad poblogaidd yn Eryri mae gorsedd Idris ar y copa'n cynnig un ai gwallgofrwydd, marwolaeth ynteu'r gallu i farddoni i'r hwn sy'n llwyddo i ddyfalbarhau drwy'r nos. Roedd Idris, mae'n debyg, yn ffigwr lled hanesyddol, sef Idris ap Gwyddno a oedd yn Frenin Meirionnydd rhwng OC 560 a 632. Er hyn, mae ambell un wedi camddehongli Idris Gawr fel y Brenin Arthur ac roedd cryn adrodd ar y stori yn y 1970au. Mewn gwirionedd, ystyr 'cadair' yma ydy 'cadarnle', sef tiriogaeth y Brenin Idris. Bellach mae'r cysylltiad wedi ei ddiystyru. Damcaniaeth boblogaidd arall oedd mai llosgfynydd cymharol ddiweddar ydy Cadair Idris, ac mewn gwirionedd mae cymoedd dwfn y mynydd yn ymdebygu i grochan llosgfynydd. Mae'r ddamcaniaeth hon wedi hen ddiflannu erbyn hyn hefyd.

Llyn y Gadair

Llyn Gafr

Llyn Aran

Mae Llwybr yr Ebol yn arwain i ben Cadair Idris o gyfeiriad y gogledd ac yn un o'r llwybrau hiraf, ond hawddaf, i gopa'r mynydd – y copa a elwir yn Penygader.

Mae'r ail lyn yn y gyfres o lynnoedd sy'n cysgodi dan grib ogleddol Cadair Idris, sef Llyn Gafr, ychydig i'r dwyrain o Lyn y Gadair. Mae chwedlau'r tylwyth teg yn frith drwy lynnoedd Eryri ac, yn ôl traddodiad, brenin y bobol fach oedd Gwyn ap Nudd. Roedd gan Gwyn ap Nudd gŵn hela – Cŵn Annwn, cŵn enfawr a oedd yn hela ar hyd a lled Eryri, ond yn benodol ar lethrau Cadair Idris. Annwn oedd tiriogaeth bydysawd y tylwyth teg, byd arall Cymru fel petai. Byddai'r cŵn yn proffwydo marwolaeth i unrhyw un a fyddai'n clywed eu cri. Byddai'r helgwn yn 'sgubo enaid y meirw i fyd y tylwyth teg.

Mae clwstwr o greigiau ychydig uwchlaw'r llyn lle mae clogwyn Cadair Idris yn codi'n serth. Mae cuddfan hwylus yn y creigiau lle byddai'n bosib treulio noson yn uchel yn y mynyddoedd; mae'r to tywyrch ychydig yn fregus erbyn hyn, ond byddai'n noddfa glyd mewn storm arw.

Llyn arall yng nghriw Idris a'i Gadair ydy Llyn Aran, y tro yma dan gysgod dwyreiniol y grib hir sy'n arwain o un pen y criw i'r llall. Dyma darddiad afon Aran, sy'n llifo i afon Wnion ynghanol tref Dolgellau. Ceir olion awyren fomio Wellington HX433 wedi eu gwasgaru'n eang uwchlaw'r llyn ar lethrau Mynydd Moel. Ar yr 28ain o Fai 1942 roedd yr awyren yn cymryd rhan mewn arbrofion am ddefnydd tanwydd pan aeth i drafferthion yn y niwl. Gwyrodd ychydig oddi ar ei chwrs, ond roedd yn ddigon, gan achosi iddi daro yn erbyn craig lem. Lladdwyd y chwech a oedd arni ar eu hunion, er gwaethaf ymdrechion ffermwyr lleol i geisio eu hachub. Mae pedwar o'r chwech wedi eu claddu ym mynwent Tywyn.

The ancient road that runs down the valley past Llyn Gwernan used to connect Dolgellau and Barmouth, and was used as the route to transport slate from the Penrhyn Gwyn Quarry above the lake to market. Although the quarry spoils are substantial, the amount of usable roofing slate was minimal. Nearby Penmaenpool wooden toll bridge was the location of a terrible tragedy in 1966 when a ferry collided with the bridge killing 15 people, including 4 children.

The towering peak of Cadair Idris obviously lends its name to Llyn y Gadair. Idris the Giant was a semi-historical character, originally named Idris ap Gwyddno who reigned over Gwynedd in the 6th and 7th century. However, Idris the Giant was a great astronomer who studied the stars from his throne at the summit. The 'Pony' path up Cadair Idris comes past the lake and is the longest, but most gentle of all the paths.

The otherworld of the *tylwyth teg* has been a recurring theme in this book and here, near the end of our journey, we come across the king of these little people, Gwyn ap Nudd, and his giant hounds, Cŵn Annwn. The pack of dogs can foresee doom and death to any person who hears their howling. There are the remains of a snug tin and turf shelter high above Llyn Gafr, a place that would offer a welcoming shelter even in its present dilapidated state.

Llyn Aran is another mountain tarn in the shadow of the Cadair Idris ridge. A Wellington bomber came to an untimely end above the lake in May 1943 whilst investigating aircraft fuel consumption. All six airmen on board were killed instantly, four of whom are buried in Tywyn cemetery.

Llyn Cau a Llyn Mwyngil

Un o lynnoedd diwaelod Eryri ydy Llyn Cau, yn ôl traddodiad. Mae'r llyn yn ddwfn dros ben, ac yn ôl y sôn yn cael ei fwydo gan ffrydiau a ffynhonnau tanddaearol. Mae dyfnder y llyn yn destun ambell chwedl, gyda stori gyfarwydd yr Afanc yn codi ei phen yma hefyd. Cludwyd yr Afanc ffyrnig hwn mewn hualau, mae'n debyg, gan un ai'r Brenin Arthur neu Hu Gadarn o Lyn Barfog. Câi nofwyr eu llusgo i ddyfnderoedd y llyn gan yr Afanc, medden nhw, ac mae'r chwedl yn atsain o lawer stori debyg yn Eryri. Mae'r creigiau mawrion ar odrau'r sgri ar lannau'r llyn yn olion brwydr rhwng Idris Gawr a chewri eraill, wedi iddynt fod yn taflu cerrig at ei gilydd, yn ôl y sôn. Mae'r cysylltiadau â'r cewri yn niferus yn yr ardal hon.

Mae amffitheatr ddramatig y cwm bron yn enghraifft berffaith o lyn mynydd rhewlifol, gyda'i glogwyni serth yn codi ar bob ochr, bron. Mae'r marian o greigiau a cherrig yn dal y llyn ar yr ochr ddwyreiniol a daw Llwybr Minffordd i ben Cadair Idris heibio i'r lan ddwyreiniol hon. Mae Llwybr Minffordd i

Llyn Cau

gopa'r Gadair yn hynod boblogaidd; yn wir, mae'r criw hwn o gopaon yn ddwfn yn ne'r Parc Cenedlaethol yn denu miloedd o gerddwyr bob blwyddyn. Wrth gwrs, y drindod o griwiau o fynyddoedd yng ngogledd y Parc (Yr Wyddfa, y Glyderau a'r Carneddau) sy'n denu'r torfeydd mawr, ond mae cerdded Cadair Idris yr un mor bleserus. Yn anffodus, mae'n rhaid i'r cerddwr gludo'i luniaeth ei hun i'r copa erbyn hyn. Mae dyddiau'r hen ŵr a'i ferlen a fyddai'n gwerthu bwyd a diod ar y copa wedi hen orffen, er bod ei gwt yn dal yno – lloches ddefnyddiol mewn tywydd garw.

Mae Llyn Cau a Chadair Idris yn Warchodfa Natur Genedlaethol ers y 1950au, yn gwarchod cynefin ac ecosystem arbennig. Yn ogystal â nifer o blanhigion prin, mae creaduriaid yn byw ar lethrau'r Gadair sydd ond i'w cael mewn dyrnaid o leoliadau; mae'r rhain yn cynnwys rhywogaeth o wyfyn, pry copyn a chwilen.

Llyn Mwyngil yw'r enwocaf o lynnoedd de Eryri, oherwydd ei safle ar ochr yr A487 rhwng y de a'r gogledd. Ychydig iawn, fodd bynnag, sy'n cyfeirio at y llyn wrth ei enw swyddogol, fodd bynnag – Llyn Talyllyn y'i gelwir gan lawer. Fodd bynnag, mae miliynau o bobol yn edrych ar luniau o'r llyn bob dydd, yn enwedig er 2009 pan benderfynodd cwmni Microsoft gynnwys delwedd o'r llyn yn ei oriel o luniau sgrin, rhan o feddalwedd Windows 7.

Mae'r llyn yn enghraifft beffaith o lyn rhewlifol hirfain llawr dyffryn a ffurfiwyd wedi i rewlif naddu llawr y dyffryn yn wastad. Yn hytrach na chael ei ddal yn ei le gan farian o gerrig fel y rhan fwyaf o lynnoedd rhewlifol, digwyddodd tirlithriad enfawr ym mhen isaf y llyn wedi i'r iâ gilio, gan gronni dŵr afon Dysynni a ffurfio'r llyn.

Datblygodd pentref Abergynolwyn, ychydig yn is i lawr Dyffryn Dysynni, o ddau bentref bychan – Cwrt a Pandy, yn dilyn datblygiad y chwareli llechi. Ymfudodd poblogaeth sylweddol i'r ardal o gadarnleoedd y diwydiant llechi yn yr hen Sir Gaernarfon. Bu'r diwydiant llechi yn cynnal y pentref i bob pwrpas hyd at 1948, pan gaeodd y chwarel; daeth yr ardal yn ôl wedyn i fod yn ddibynnol ar amaethyddiaeth a choedwigaeth yn ail hanner yr ugeinfed ganrif.

Llyn Cau is rumoured to be bottomless and recalls the tale of the Afanc and King Arthur. The scree boulders are the result of several fights between Idris (the giant) and his foes. The dramatic cliffs are textbook examples of a glacial lake, with only the moraine to the east holding the lake in place. The massif is now a National Nature Reserve and protects an important ecosystem habitat. The popular Minffordd path up Cadair Idris is one of the most popular walks in the south of the National Park.

Llyn Mwyngil is a long glacial finger of a lake stretching along the floor of the Dysynni valley, otherwise known as Talyllyn, its image viewed by millions worldwide since Microsoft included it in its desktop image gallery in 2009 as part of the Windows 7 operating system. Its long form is blocked at one end by a landslide which happened in the post-glacial era. The village of Abergynolwyn further down the valley developed as a result of a boom in the slate industry, but is now an agricultural-based economy once more.

Am restr gyflawn o lyfrau'r Lolfa, mynnwch
gopi am ddim o'n catalog
neu hwyliwch i mewn i'n gwefan

www.ylolfa.com

lle gallwch archebu llyfrau ar-lein.

TALYBONT CEREDIGION CYMRU SY24 5HE
ebost ylolfa@ylolfa.com
gwefan www.ylolfa.com
ffôn 01970 832 304
ffacs 832 782